KB103557

After many years, the 50-year journey of my immigrant life has come to an end, and I find that the end is not as unhappy as I had imagined. Now, I am ready to enjoy a peaceful life.

I have come to realize that every little thing in the world is precious, and that happiness must be found close to home. Now, I wish to let go of everything and conclude my life with the two words 'gratitude' and 'forgiveness,' leaving behind anger and hatred.

그늘 아래 피는 꽃

불확실한 미래에서 희망의 빛을 발견한 50년
이민자의 이야기

1. 달콤한 추억들

1. 을지로에서 피어난 꿈: 한 막내의 성장기 13
2. 을지로의 추억: 어린 막내의 희로애락 14
3. 어린 시절의 을지로: 행복을 그리다 15
4. 마법 같은 설날 전야: 을지로의 어린 시절 16
5. 을지로의 심장: 막내와 오빠의 이야기 16
6. 을지로의 막내와 명동의 전설: 반항과 자유의 여정 17
7. 을지로 패밀리의 희로애락: 언니들의 야매 미용실과 집문서 전쟁 18
8. 을지로에서 피어난 가족 이야기: 혼란 속의 따뜻한 인연 19
9. 발발이와의 소중한 추억: 어린 시절의 작은 모험 19
10. 노량진 한강변의 기억: 큰오빠의 땅과 피난 생활 이야기 20
11. 남산 아래에서 펼쳐진 어머니의 따뜻한 나눔 21
12. 골목길의 모험: 어린 시절의 소동과 어머니의 사랑 22
14. 동대문 시장에서의 특별한 하루 24
15. 어린 시절의 엉뚱한 실수와 엄마의 끝없는 사랑 26
16. 동네 이야기: 각양각색 친구들과의 뜻깊은 추억" 27

2. 첫 키스부터 결혼까지

1. 얼음 위의 추억: 면목동에서의 달콤씁쓸한 추억들 29
2. 야간 여상에서의 유쾌한 추억과 무모한 모험 30
3. 졸업 이후의 깨달음: 서예, 선교, 그리고 미국으로의 꿈 31
4. 명동에서의 추억: 통신부터 뒷골목의 맛집까지 32
5. 명동의 추억: 첫사랑과 첫 키스의 달콤한 서사 33
6. 급진적 사랑의 시작: 계약에서 진심으로 33
7. 결혼식 그 날의 기억: 소소하지만 잊을 수 없는 순간들 34
8. 새로운 희망을 향한 마지막 밤: 한국을 떠나기 전의 결심 35

3. 새로운 도전과 성장

1. 이별과 시작의 사이: 한국에서 뉴욕까지 39
2. 험난했던 초창기 미국 생활: 외로움 속에서 찾은 삶의 의미 40
3. 뉴욕에서 펼쳐진 투쟁과 화해: 한 이민자의 성장기 41
4. 미국에서 피어난 용기: 이민자의 도전과 성장 이야기 43
5. 도로 위의 첫 도전: 미국에서의 운전과 적응 43
6. 바늘과 실로 짜여진 이민자의 꿈: 일상 속에서 배우다 44
7. 바퀴 위에서 펼쳐진 꿈: 미국에서 운전을 배우다" 45
8. 오해에서 깨달음까지: 맨해튼의 극적인 한 순간 46
.... 48

4. 고통과 희망의 순간들

1. 오해와 화해의 길목에서: 가족 간의 어려운 대화 49
2. 니아가라의 이중주: 폭포의 장엄함과 개인의 아픔 50
3. 어려운 결정의 그늘: 이민자로서의 가슴 아픈 선택 51
4. 새로운 시작을 향한 결단: 이별 후에 찾아온 희망 52
5. 뉴욕에서의 도전: 나의 어색하고도 용감한 적응기 52
6. 어둠 속에서 찾은 빛: 극복의 여정 53
7. 새로운 터전에서의 시련과 시작 54

5. 미국이민 소중한 발견

1. 봄날의 기적: 뜻밖의 친절과 놀라운 발견 57
2. 도전 속에서 발견한 새로운 시작: 미국에서의 첫 걸음 58
3. 함께 걸어온 고통의 길: 연대감 속의 위로 59
4. 낯선 땅에서 피운 희망의 꽃: 가시밭길에서 발견한 연대 60

5. 새로운 땅에서의 투쟁과 희망: 오하이오에서의 이민자 일기 60
6. 의료 오디세이: 낯선 땅에서의 치유와 깨달음 61
7. 투병과 희망: 한 이민자 가족의 진단을 향한 여정 62

6. 생존의 여정

1. 꽃에서 시작된 변화: 소자본 창업으로 꿈을 키우다 65
2. 새로운 시작: 디트로이트에서의 희망 찾기 66
3. 새로운 시작의 기쁨과 시련: 디트로이트의 소소한 일상 67
4. 뉴올리언스의 밤: 기대치 않은 모험 68
5. 텍사스로의 폭풍 여정: 홍수와 위기의 순간들 68
6. 생명의 순환: 잃고 얻는 사이에서 69
7. 우리 가게의 작은 기적과 도전 70
8. 아들과 함께한 시련과 기적의 순간들 71

7. 잃고 얻는 사이에서

1. 앨리사: 잠깐의 만남, 영원의 기억 73
2. 길 위에서 찾은 황홀한 순간들 74
3. 물들지 않은 시간들: 한 이민자 가족의 여정 75
4. 가발 가게의 시련: 진실과 오해 사이 75
5. 불안의 그림자: 디트로이트 다운타운의 시련 76
6. 가족의 힘: 이민 생활의 도전과 성장 77
7. 기적과 손실: 투쟁과 회복의 이야기 78
8. 생명의 부름: 잃고 얻은 것들의 이야기 78

8. 어둠속 희망의 빛

1. 투쟁과 희망의 교차점 81
2. 암흑의 밤: 기다림 속에서 찾은 깨달음 82
3. 삶의 길, 서로를 이해하며 걷다 83
4. 길 위의 가족: 이동과 갈등의 시간들 84
5. 잊혀진 존재: 내 삶의 조용한 외침 84
6. 잔혹한 사랑의 그림자 85
7. 잠깐의 사랑, 길어진 그림자 86
8. 새로운 시작, 하와이에서의 희망 86

9. 이해와 화해

1. 재회의 기로: 투쟁과 용서 사이 89
2. 가족의 힘: 화해와 새로운 시작 90
3. 가족과의 시험: 이기적인 순간들 너머로 91
4. 폭풍의 그늘: 가정 내 갈등과 회복을 향한 용기 92
5. 겨울의 도망자: 생존과 희망의 이야기 92
6. 파도를 넘는 집안: 가족의 견디기와 성장 93
7. 분기점: 가족과 사업 사이의 줄타기 94
8. 진실의 순간: 꿈과 현실 사이 94

10. 흔들리는 삶의 무게

1. 흔들리는 기억, 격정의 순간들 97
2. 어머니의 감시 아래: 위험한 순간들과 감사의 기도 98
3. 새로운 시작의 위기와 기회 98
4. 밤의 건물과 위기의 순간 99

5. 어긋난 선택: 법과 가족 사이 100
6. 강한 의지의 그림자 100
8. 결별의 순간: 싸움과 법정에서의 나날들 101

11. 헌신과 이별의 순간

1. 투쟁과 포기 사이: 소상공인의 시련 103
2. 파국으로 가는 길: 운명을 거스르며 104
3. 법정에서의 우여곡절: 부부 간의 경계를 넘나들다 105
4. 장사의 종말: 33년의 추억과 작별 105
5. 귀의 회복: 의사의 실수와 가족의 헌신 106
6. 어려운 날의 눈물: 가족 내 사랑과 상처의 경계 106
7. 서로의 그늘: 변하지 않는 성격 속에서 107
8. 가족의 결정: 사랑과 이해의 경계에서 108

12. 세대 간 다리 놓기

1. 가족 갈등의 그림자: 사랑, 이혼, 그리고 깊은 반성 111
2. 시간을 거스른 화합: 범띠 환갑의 기쁨 112
3. 희망의 터널: 고난 뒤에 찾아온 평화의 빛 112
4. 새로운 시작: 자유를 향한 결단 113
5. 자유로운 날들: 내 인생의 새로운 행복 114
6. 서로의 선의, 문화의 차이 114
7. 함께 걸어온 길, 그리고 깊은 이해 115
8. 내 마음의 천국: 사랑과 자연 속에서 115

13.사랑과 용서의 여정

1. 가을 길에서 깨달은 사랑의 무게 117
2. 노년의 반항: 자유롭게 살아가기로 한 결심 118
3. 자전거와 함께한 자유: 분실과 회복 사이 119
4. 밤의 그림자: 어둠 속에서 페달을 밟다 119
5. 조용한 고통: 집 안의 불화와 그 너머의 희망 120
6. 카지노의 위안: 나만의 피난처 찾기 120
7. 인생이라는 여정: 도전과 감사를 통한 성찰 121
8. 내 삶의 여정: 감사와 용서 121

이민자의 희망 여정

안녕하세요, 여러분. 저는 이 먼 미국 땅에서 삶의 오십평생 이상을 넘게 살아왔습니다. 제 인생의 많은 시간을 이곳에서 보내면서 많은 어려움을 겪었지만, 그 속에서도 작은 희망의 빛을 발견하곤 했습니다. 이 책을 통해 제가 걸어온 길을 여러분과 나누고 싶습니다.

처음 이곳에 발을 디뎠을 때는 모든 게 낯설고 힘들었습니다. 하지만 저를 둘러싼 주위의 사랑과, 저를 지탱해 준 믿음 덕분에 많은 어려움을 이겨낼 수 있었답니다.

이민 생활이라는 것이 그저 쉽지만은 않지만, 그 속에서도 성장하고 깊은 성찰을 할 수 있는 기회를 얻을 수 있었습니다. 여러분도 제 이야기를 통해, 힘든 시기에도 언제나 희망을 잃지 않고 앞으로 나아갈 수 있는 용기를 얻으셨으면 합니다.

이 책이 여러분에게 작은 위로가 되고, 또한 새로운 희망을 찾는 데 도움이 되었으면 합니다. 저와 함께 이 여정을 걸으시며, 어떤 어려움 속에서도 희망의 빛을 찾으시길 바랍니다.

Memories

1. 달콤한 추억들

1. 을지로에서 피어난 꿈: 한 막내의 성장기

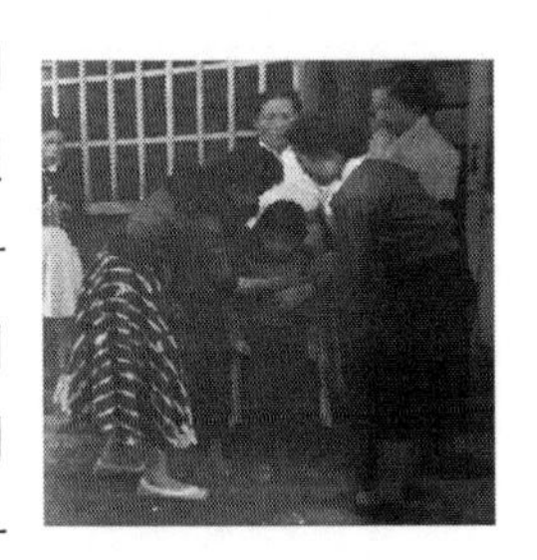

서울 을지로의 북적이는 거리에서 팔남매 중 막내로 태어난 나는 한국 남북 전쟁의 여파로 어려운 어린 시절을 맞이했습니다. 아버지는 제가 태어난 지 얼마 되지 않아 세상을 떠나셨고, 어머니는 홀로 우리를 키우며 가족의 든든한 기둥이 되셨습니다.어려움 속에서도 큰 언니와 둘째 언니의 노력 덕분에 나를 포함한 동생들은 상대적으로 평화로운 어린 시절을 보낼 수 있었습니다. 큰 언니는 미군 부대에서 타이피스트로 일하며 가족의 생계를 책임졌고, 둘째 언니는 미용 기술을 습득하여 가족의 재정을 도왔습니다.을지로는 단순한 거리가 아니라, 제 꿈과 추억이 시작된 곳입니다. 그곳에서 나는 삶의 진정한 가치와 사랑의 중요성을 배웠으며, 결혼할 때까지 수많은 추억을 쌓았습니다.

2. 을지로의 추억: 어린 막내의 희로애락

서울 을지로에서 태어난 팔남매 중 막내로, 저는 어린 시절부터 울음과 웃음이 뒤섞인 다채로운 삶을 경험했습니다. 울음이 터지면 마치 연쇄 반응처럼 이어지곤 했고, 이내 가족 모두가 함께하는 '땡깡 파티'가 벌어졌습니다. 이런 순간들이 저를 강하게 만들었음을 나중에야 깨닫게 되었습니다.어머니는 제 울음을 다루시며 종종 "청계천 다리 밑으로 널 버리러 가자!"라고 하셨는데, 이 말은 우리 가족에게 큰 웃음을 선사하는 농담이 되었습니다. 어머니의 이 말은 때로는 위로가 되었고, 때로는 웃음을 자아내게 했습니다. 이러한 순간들이 저에게 어려움 속에서도 긍정을 찾는 법을 가르쳐 주었습니다.어린 시절, 젖 떼기의 유쾌한 에피소드도 있었습니다. 어느 날 어머니는 젖꼭지에 쓴 가루를 바르셨고, 저는 그 맛에 놀라 젖을 떼게 되었습니다. 이 일화는 저의 독립심을 길러주는 계기가 되었습니다.또한, 언니가 선물해 준 소꿉놀이 장난감은 저의 창의력을 자극했습니다. 집 앞의 빨간 벽돌을 갈아 만든 '고추 가루', 잔디로 만든 '김치'로 가상의 요리를 하며 놀았고, 매직 인형은 제게 큰 즐거움을 선사했습니다. 이 모든 경험들은 저의 창의적인 사

고를 발전시키는 밑거름이 되었습니다.을지로에서의 어린 시절을 돌이켜보면, 그 때의 경험이 오늘날의 저를 만들어 준 중요한 요소임을 확신합니다.

3. 어린 시절의 을지로: 행복을 그리다

서울 을지로에서 팔남매 중 막내로 자란 저는 어릴 적부터 특별한 장난감과 소중한 추억을 쌓아왔습니다. 가장 사랑했던 장난감은 파란 눈의 인형이었으며, 그 인형과의 추억은 지금도 저의 마음 한 켠에 생생히 남아 있습니다. 언니가 이태원 미군부대에서 가져온 레고 블록, 기차, 소방차는 제 어린 시절 상상력의 발산을 도왔습니다.특히 크리스마스 때, 언니가 선물한 반자동 연필깎이는 제겐 큰 기쁨이었습니다. 초콜릿과 고로케빵의 달콤하고 고소한 맛은 제게 작은 행복을 선사했습니다. 명절마다 엄마는 제게 깜짝 선물을 주셨고, 설날에는 가족과 함께 전통 음식을 먹으며 즐거운 시간을 보냈습니다.을지로에서의 어린 시절은 제 삶에 깊은 흔적을 남겼습니다. 그 시간들은 지금의 저를 형성한 귀중한 기억의 조각입니다.

4. 마법 같은 설날 전야: 을지로의 어린 시절

어느 추운 겨울날, 을지로에서의 설날 전야는 마치 마법처럼 내 어린 마음을 설레게 했습니다. '설날 전날 잠을 자면 눈썹이 하얗게 된다'는 민속 속담을 믿으며, 나는 깜박 잠들지 않기 위해 노력했던 기억이 아직도 선명합니다. 그 밤, 설렘으로 가득 찬 마음으로 밤을 새우며 기다린 보람으로 푸짐한 세뱃돈을 받았던 순간은 지금도 내 마음을 따뜻하게 합니다.명절이면 우리 집은 마치 큰 축제장으로 변했습니다. 가족 모두가 모여 윷놀이, 연날리기, 널뛰기를 하며 웃음과 즐거움이 넘쳤습니다. 연을 하늘 높이 날리고, 연이 떨어지며 엉키는 모습을 보고 웃었던 순간들, 널뛰기를 하며 하늘을 나는 듯한 기분을 느꼈던 그 순간들은 모든 걱정을 잊게 했습니다.을지로 주변의 넓은 공터에서는 겨울이면 팽이치기나 눈썰매를 즐겼습니다. 꽁꽁 얼어붙은 길에서 스릴 넘치는 눈썰매를 타고, 추운 겨울을 뜨겁게 달궜던 그 시절은 간단한 장난감 하나로도 큰 행복을 느낄 수 있었습니다.이 모든 추억들은 어제 일처럼 생생하며, 지금도 때때로 그 시절의 행복했던 순간들로 돌아가고 싶은 마음이 간절합니다. 을지로에서의 아름다운 어린 시절은 시간이 흘러도 내 마음속에 영원한 행복한 추억으로 남아 있습니다.

5. 을지로의 심장: 막내와 오빠의 이야기

어린 시절 을지로의 거리를 누비며 남자아이들과 어깨를 나란히 하며 잣 치기와 딱지 치기에 빠져있었습니다. 이러한 '남자애들 놀이'를 즐길 수 있었던 것은 언니들의 격려 덕분이었습니다. 그들은 세상 어떤 것도 내가 할 수 없다고 말하지 않았습니다.한국전쟁 시절, 피난길의 어려움 속에서도 우리 가족은 서로를 끈끈하게 지켜냈습니다. 가족이 많다 보니 살림살이는 항상 빠듯했고, 어머니는 어려운 결정을 내려야 했습니다. 일곱 번째 오빠는 성장 과정에서 많은 어려움을 겪었고, 학교 생활도 고난이 이어졌습니다.오빠의 학창 시절은 드라마 같았습니다. 선생님이 학습 문제를 체벌로 해결하려 했고, 오빠는 종종 멍투성이가 되어 집에 돌아왔습니다. 어머니는 그 광경을 보고 너무 속상해하셨고, 결국 오빠는 초등학교 이후로는 학교 문턱을 다시 밟지 않았습니다.그러나 인생은 예상치 못한 전환점을 맞이합니다. 오빠는 자동차 수리 기술을 배우며 자신의 삶을 새롭게 만들었습니다. 그 기술로 사우디에서 외화를 벌어 뉴욕으로 건너가 현재는 그곳에서 아주 잘 살고 있습니다. 오빠의 성공 이야기는 우리 가족에게 자주 회자되며, 그의 선한 성품과 행운을 기리는 이야기가 되었습니다.

6. 을지로의 막내와 명동의 전설: 반항과 자유의 여정

아버지 대신 언니들이 가정의 재정을 책임지며 우리 가정은 여성 중심의 강인한 생활력을 보였습니다. 특히 언니들은 오빠들보다 더 강한 생존 본능을 발휘했습니다. 다섯째 오빠의 학교 문제는 가족 내에서 전설처럼 회자되곤 했습니다. 언니는 오빠가 학교에 제대로 다니기를 바라며, 매일 아침 도시락을 싸 정문까지 배웅했습니다. 그러나 오빠는 언니가 한눈을 판 사이 학교를 벗어나 명동의 거리를 배회했습니다. 선생님은 어머니에게 연락해 오빠의 무단결석을 알렸고, 어머니는 이로 인해 큰 걱정을 하셨습니다.결국, 다섯째 오빠는 중학교를 중퇴하고 명동의 깡패 문화에 발을 들였습니다. 그곳에서 그는 명동의 유명한 깡패 두목 동생과 친구가 되었고, 이는 가족에게는 속을 썩이는 일이었지만, 오빠에게는 일종의 반항적 자유를 의미했습니다.이제 이 모든 이야기는 우리에게 미소를 짓게 하는 추억이 되었습니다. 오빠의 반항은 을지로의 한 가족 이야기 속에서 다정한 일화로 자리 잡았습니다. 우리 가족은 모여 앉아 이 이야기를 회상하며, 어떻게 그 당시를 함께 견뎌냈는지를 웃으며 이야기합니다.

7. 을지로 패밀리의 희로애락: 언니들의 야매 미용실과 집문서 전쟁

언니들의 창의적이고 때로는 법의 경계를 넘나드는 생활력은 우리 가족 이야기의 중심입니다. 둘째 언니가 우리 집에서 '야매 미용실'을 운영하며 머리를 손질해주고 돈을 받았습니다. 이 비밀 미용실은 당시로서는 불법이었지만, 가족을 위한 둘째 언니의 필사적인 생계 수단이었습니다.어느 날, 이 비밀이 드러나 경찰이 우리 집을 방문했습니다. 큰언니가 둘째 언니를 대신해 경찰서에 가서 하루밤을 보냈습니다. 하루벌이살이 생활에서 둘째언니의 공백은 생계의 큰 문제가 있었기 때문이었습니다. 이러한 큰언니의 용기 있는 행동은 우리 모두에게 깊은 감동을 주었습니다.그러나 가족의 도전은 여기서 그치지 않았습니다. 큰오빠와 큰언니 사이에 집문서를 두고 대판 싸움이 벌어졌습니다. 큰오빠는 집을 팔아 사업을 하려 했지만, 큰언니는 가족의 보금자리를 지키기 위해 집문서를 숨겼습니다. 어느 날 큰오빠가 큰언니에게 구두를 던지는 사건이 발생했지만, 큰언니는 물러서지 않았고, 결국 엄마는 집문서를 벽 속에 숨기고 도배를 해서 아무도 찾을 수 없게 만들었습니다.이 모든 일은 결국 가족을 더욱 단단하게 만들었습니다. 큰오빠의 변심이 가족 모두를 놀라게 했지만, 우리는 함께 이겨냈습니다. 이제 이 일들은 우리에게 믿을 수 없는 웃음과 감동적인 추억을 선사합니다. 을지로에서의 우리 삶은 때로는 소극장 같았으며, 가족의 이야기는 결코 지루할 틈이 없었습니다.

8. 을지로에서 피어난 가족 이야기: 혼란 속의 따뜻한 인연

우리 큰 올케 언니는 계주로 활동하다가, 참여자들의 돈을 가져가 야반도주를 감행해 모두를 놀라게 했습니다. 이 사건 이후 우리 가족은 사람들의 끊임없는 방문으로 소란스러운 나날을 보냈습니다. 그러나 시간이 지나고 상황은 진정되었고, 둘째 언니는 결혼하여 평화로운 가정을 꾸렸습니다. 그녀의 남편, 우리의 형부는 가족 모두에게 따뜻한 수호천사 같은 존재였습니다.형부는 해병대 운전사로 근무하던 중 우리 엄마를 만나, 가족처럼 돌보며 여러모로 도움을 주었습니다. 특히 6.25 전쟁 당시에는 고생하는 엄마를 돕기 위해 많은 노력을 했습니다. 그의 관심과 지원은 특히 어려웠던 시기에 우리 가족에게 큰 힘이 되었습니다.형부와의 만남은 언제나 훈훈한 에피소드로 가득 찼습니다. 명동에서 만날 때면, 그는 항상 용돈을 접어서 건네며 유머를 섞어 웃음을 주곤 했습니다. 형부의 유머와 따뜻함은 우리 가족에게 큰 즐거움이었습니다.비록 형부가 이제 이 세상 사람이 아니지만, 그의 기억은 항상 우리 가족의 마음속에 아름답게 남아 있습니다. 이천국립묘지에 그를 찾을 때마다, 그의 사랑과 보살핌이 여전히 우리 곁에 있는 것만 같습니다. 큰 올케 언니의 용감한 모험부터 형부의 따뜻한 보살핌까지, 우리 가족의 이야기는 언제나 웃음과 눈물, 그리고 깊은 감사의 마음으로 가득 차 있습니다.

9. 발발이와의 소중한 추억: 어린 시절의 작은 모험

저의 어린 시절에는 매우 특별한 친구가 있었습니다. 그 친구는 하얀 털과 동그란 눈을 가진 작고 귀여운 강아지, 발발이였습니다. 오빠가 저를 위해 가져온 발발이는 금세 우리 가족처럼 사랑받기 시작했습니다. 발발이와 함께한 순간들은 모두 행복했으며, 그의 꼬리를 흔드는 모습만 봐도 저의 마음은 따뜻해졌습니다.그러나 어느 날, 이 모든 행복이 갑자기 멈추었습니다. 한 낯선 아저씨가 저에게 '너희 오빠가 기다린다'고 말하며 같이 가자고 했고, 저는 그 말을 믿고 따라갔습니다. 그런데 그 아저씨는 저의 소중한 발발이를 낚아채고 택시를 타고 사라졌습니다. 저는 그 자리에 홀로 남겨져 오열했습니다.그 사건 이후 며칠 동안 저는 제대로 밥도 먹지 못하고, 발발이가 너무 그리워서 아팠습니다. 나중에 알게 된 사실이지만, 그 아저씨는 돈을 목적으로 강아지만 훔친 전문 도둑이었습니다. 그 사건은 저에게 큰 충격을 주었지만, 시간이 지나면서 이야기를 할 때마다 가족들과 웃으며 이야기할 수 있게 되었습니다.그 경험은 저에게 많은 것을 가르쳤으며, 세상을 좀 더 조심스럽게 바라보게 만들었습니다. 하지만 발발이와의 추억은 여전히 제 마음속에서 가장 따뜻하고 사랑스러운 기억으로 남아 있습니다. 비록 발발이와의 이별은 슬펐지만, 그와 보낸 시간은 항상 제 마음을 웃음과 행복으로 채워줍니다.

10. 노량진 한강변의 기억: 큰오빠의 땅과 피난 생활 이야기

어느 날, 큰오빠 내외께서 피신하시어 노량진 한강변에 정착하셨다는 소식을 듣게 되었습니다. 그곳에서 빗쟁이로 일하시면서 생활하셨고, 엄마의 비상금으로 피난을 가셨던 것입니다. 당시 큰 아들이 부모님을 모시고 생활비를 지원하는 것이 당연하다고 여겨졌기에, 엄마께서는 우리에게 큰오빠로 부터 생활비를 받아 오라고 부탁하셨습니다.우리는 기차를 타고 노량진으로 내려가 한참을 걸어 큰오빠의 집에 도착하였습니다. 그러나 운이 없게도 큰오빠 식구들께서는 외출 중이셨고, 우리는 그 동안 무료한 시간을 보내야만 했습니다. 그 사이, 조카와 공놀이를 하다가 공이 낭떨어지에 떨어지는 바람에 저는 그곳을 풀밭으로 알고 갔습니다만, 거름 더미였습니다. 무심코 한 발짝 내디뎠다가 오른발이 깊숙이 빠져 버렸습니다. 그 순간 무서워서 소리쳐 울었고, 다행히 조카가 제 손을 잡아 끌어주어 겨우 빠져나올 수 있었습니다. 그 후 한강에서 발을 깨끗이 씻었지만, 그 냄새는 좀처럼 사라지지 않았습니다. 그 때 누군가는 농담삼아 '똥독에 걸리면 죽는다'며 겁을 주었는데, 정말 잊을 수 없는 하루였습니다.한편, 큰오빠께서는 한강변에서 유리를 모으는 고물상을 운영하시며 많은 땅을 소유하고 계셨습니다. 그 땅에서 갈 곳 없는 사람들에게 숙식을 제공하며 많은 선행을 하시고 있었습니다. 그러나 그 후 그 황금 같은 땅을 시세보다 더 높은 가격에 매각해준다는 부동산 사장님의 말을 듣고 그는 그 땅을 팔고 금곡으로 이사하셨습니다. 그 땅을 조금만 더 보유하고 계셨다면 지금쯤 엄청난 부자가 되셨을 텐데, 그것이 큰오빠의 운명이었나 봅니다. 지금 그 땅에는 큰 아파트 단지가 들어서며 엄청난 발전을 이루었습니다.

11. 남산 아래에서 펼쳐진 어머니의 따뜻한 나눔

어릴 적 제가 살던 곳은 남산 바로 아래였습니다. 그곳은 가끔 문둥병 환자들이 많이 내려오곤 했는데요, 그들 중 일부는 손에 붕대를 감은 채, 어떤 이들은 얼굴까지 붕대를 감고 우리 동네로 내려와 양은그릇을 들고 밥을 얻으러 다녔습니다.당시는 모두가 힘든 시절이었고, 넉넉한 사람들은 거의 없었지만, 사람들은 서로를 돕고 살아가는 법을 알고 있었습니다. 우리 어머니께서는 특히나 인정이 많으셔서, 집에 찾아오는 문둥병 환자들을 항상 따뜻하게 맞이하셨습니다. 문을 닫고 외면하는 이웃도 있었지만, 어머니는 오는 사람마다 밥과 반찬을 정성껏 챙겨주셨습니다.특히 기억에 남는 것은 어느 가을날의 소풍이었습니다. 전날부터 너무 설레어 잠을 설치며 기다렸던 그날, 엄마께서는 소풍 음식을 정성스레 준비해주셨습니다. 김밥, 사과, 배, 삶은 계란, 밤까지 골고루 싸주셨습니다. 엄마께서는 싸주신 음식들을 친구들과 넉넉히 나눠 먹으라고 당부하셨습니다.소풍을 즐기고 있는데, 노인 한 분이 우리가 먹다 남긴 음식을 주워가는 모습을 보았습니다. 그 모습이 너무 마음이 아팠습니다. 그녀는 몸이 많이 굽은 할머니였고, 옷도 여기저기 꼬매 입고 계셨습니다. 저는 그 자리에서 바로 삶은 계란을 드리고, 다시 돌아와 남은 음식을 모두 가져다 드렸습니다.집에 와서 어머니께 이 일을 말씀드렸더니, 엄마는 그저 빙그레 웃으시며 저를 바라보셨습니다. 그 할머니의 모습이 한동안 머리에서 떠나지 않았고, 그 날의 기억은 항상 제 마음 한켠에 따뜻한 추억으로 남아 있습니다. 그때의 나눔과 사랑은 지금도 제 마음을 풍요롭게 해주는 소중한 기억입니다.

12. 골목길의 모험: 어린 시절의 소동과 어머니의 사랑

어느 날, 우리 동네 골목길 뒤쪽에는 몇 집 사이마다 인쇄소가 줄지어 있었고, 그 옆에는 아주 특별한 화장실이 있었습니다. 동네 아이들과 뛰놀다가 갑자기 소변이 마려워 그 화장실로 달려갔습니다. 그곳은 큰 도라무통에 나무 두 조각을 놓고 만든 간이식 화장실로, 변을 볼 때마다 똥 떨어지는 소리가 크게 울리며, 잘못하면 똥물이 튀어 다리에 묻을 정도로 모험적인 곳이었습니다.그날은 유난히도 화장실의 받침대가 불안정하게 끄덕거렸고, 제가 잘못 디딘 바람에 갑자기 제 다리 하나가 똥통 속으로 깊숙이 빠져버렸습니다. 무릎까지 똥이 묻은 채로, 저는 울기 시작했습니다. 그 상황은 정말 비참했지만, 이후의 일은 지금 생각하면 웃음이 나옵니다.울면서 집으로 달려갔고, 어머니께서는 저를 깨끗이 씻기 시작하셨습니다.

물로 한 번, 비누로 여러 번 씻긴 후에는 참기름까지 발라주셨습니다. 어머니께서는 '똥 독이 오르면 큰일 난다'며 저를 꼼꼼히 씻겨 주셨습니다. 그때 어머니의 따뜻한 사랑과 걱정이 느껴져, 그 기억은 평생 잊을 수 없습니다.이 이야기는 제가 어렸을 때 벌써 두 번이나 똥통에 빠졌다는 사실과 함께, 제가 꽤나 말썽꾸러기였던것 같습니다.

13. 어린 시절의 자전거와 그 날의 추억

어린 시절, 우리 집 뒷동네에는 부처님을 모시는 절간용 부지가 많았고, 여러 세대가 함께 어우러져 살고 있었습니다. 그때는 유신고속 터미널이 새로 건설되고 있었고, 저는 자전거를 타는 것을 무척 좋아했습니다. 이는 제가 극성스럽고 별난 성격 때문일지도 모릅니다.하루는, 바로 뒷동네에 살던 몇 살 위의 오빠와 저, 두 자전거가 같은 코너에서 우연히 부딪혔습니다. 그 순간, 세상이 마치 멈춘 듯했고, 저는 그 충돌로 다리에 큰 상처를 입고 말았습니다. 처음에는 그저 피부만 찢어진 줄 알았지만, 집에 돌아와보니 뼈까지 깊은 상처가 나 있었습니다. 결국 수술을 받기 위해 병원으로 향했습니다.사고 당시, 그 오빠는 저를 보며, '상처 때문에 시집 못 가면 자기가 데려가겠다'고 농담을 했습니다. 그러나 아이러니하게도, 그는 병원비도 내지 않고 어느 날 갑자기 이사를 가버렸습니다. 그 후로 그의 행방은 영원히 알 수 없게 되었습니다.이 사고로 인해 어머니는 병간호와 병원비 마련에 큰 어려움을 겪었고, 저는 반년 동안 학교를 다니지 못했습니다. 그때의 저는 공부에 큰 흥미가 없었고, 학교를 가지 않으니 숙제도 할 필요가 없어 집에서 노는 것이 참 좋았습니다. 그 반년이 어떻게 지났는지도 모를 정도로 시간이 빠르게 흘렀습

니다.이 모든 일은 이제 웃으며 회상하는 추억이 되었습니다.

14. 동대문 시장에서의 특별한 하루

그날, 저희 어머니와 저는 평소보다 더 멀리 있는 동대문 시장으로 발걸음을 옮겼습니다. 동대문 시장까지는 걸어서 가기에는 조금 멀었지만, 그 길을 걷는 것만으로도 설렘을 느낄 수 있었습니다. 시장 입구부터 노점상들이 즐비해 있었고, 야채와 과일들이 좌판에 가득했습니다.특히 그날은 뜻밖의 해프닝이 벌어졌습니다. 노점에서 야채를 정리하고 계시던 한 아저씨가 있었는데, 그분이 허리를 숙이고 일을 하시다가 지나가던 전차에 옷이 걸려 찢어지는 사건이 발생했습니다. 그 순간 모두가 숨을 죽였지만, 다행히 아저씨는 크게 다치지 않았습니다. 다만, 그의 옷이 찢어져서 엉덩이가 보이는 상황이 벌어졌습니다. 모두가 걱정했지만, 아저씨는 덤덤하게 몸을 가릴 것을 찾아 주요부위를 가리고 일을 계속하셨습니다. 그 모습이 마치 아무 일도 없었다는 듯 당당했습니다.우리는 그 광경을 보고 있었지만, 아저씨의 끄덕없는 모습에 결국 웃음이 터져 나왔습니다. 그렇게 웃고 나니, 다시 시장 구경에 열중했습니다. 시장 안은 먹거리로 가득했고, 특히 순대와 돼지 머리 껍질, 간 등이 눈에 띄었습니다. 비록 제 취향은 아니었지만, 그 당시의 분위기는 정말 특별했습니다.그리고 그날의 하이라이트는 바나나였습니다. 바나나는 당시에 엄청나게 비싼 과일이었는데, 어머니께서 오래된 바나나를 싼 가격에 사주셨습니다. 그 바나나는 속이 조금 까맣게 변해 있었지만, 오히려 더 달고 맛있었습니다. 그 맛은 지금도 가끔 그리워집니다.

동대문 시장의 그날은 제 기억 속에 항상 즐겁고 흥미진진한 날로 남아있습니다. 아저씨의 해프닝과 달콤한 바나나, 그리고 어머니와의 시간은 모두가 힘들었던 그 시절에도 저희 가족에게 소중한 추억과 웃음을 선사했습니다.

15. 어린 시절의 엉뚱한 실수와 엄마의 끝없는 사랑

초등학교를 졸업하고 중학교에 갈 준비를 하던 때, 제 이름이 가족 등기부 등본에서 빠져 있었다는 것을 알게 되었습니다. 6.25 이후로 아무도 제대로 확인하지 않은 문서 때문에 중학교 등록에 문제가 생긴 것이었죠. 그때의 저는 당황스러운 마음에 엄마에게 소리치며 울었습니다.당시 저희 어머니는 정말 바쁘게 살아가고 계셨습니다. 오빠들은 해병대에 입대했고, 언니들은 집을 떠나 결혼을 했습니다. 엄마는 인쇄소 사람들을 대상으로 하는 함바집을 운영하시며, 외상으로 밥을 먹고 돈도 내지 않고 떠나는 손님들이 종종 있었지만, 엄마는 불평 한 마디 없이 모두를 따뜻하게 대하셨습니다.저는 극성스럽고 막내다운 어리광을 부리며 자랐습니다. 제가 42살에 태어난 늦둥이였기 때문에, 엄마는 저를 더욱 소중히 여기셨을 것입니다. 어릴 적 저는 '왜 아빠가 없냐'고 여러 번 묻곤 했는데, 지금 생각해보면 그런 질문이 얼마나 엄마 마음을 아프게 했을지 모릅니다.학교에서는 공부하기 싫어 친구가 숙제를 대신 해주곤 했습니다만, 선생님이 제 글씨체와 다르다며 심하게 혼난 적도 있었습니다. 그런 일들이 지금 돌이켜보면 참으로 어리석고도 사랑스러운 추억이 되었습니다.엄마는 많은 어려움을 겪으셨지만, 저를 포함한 가족 모두를 사랑으로 감싸주셨습니다. 이제는 돌아가신 엄마에게 그 당시 제가 얼마나 고마웠는지, 얼마나 사랑했는지 말씀드릴 수 없어서 아쉬울 뿐입니다. 그 시절 엄마의 사랑과 헌신은 제 마음 속에 영원히 남아, 지금도 때때로 그리워집니다. 그 모든 추억들이 저를 웃게 하고, 가끔은 눈시울을 붉히게도 합니다.

16. 동네 이야기: 각양각색 친구들과의 뜻깊은 추억"

우리 동네는 정말 특별했습니다. 시간이 흘러 많은 친구들이 이사를 가면서,

우리의 어린 시절 모습도 점점 희미해져 갔습니다. 그 중 한 친구는 발레를 배우러 다니며 우리 모두의 동경의 대상이었고, 저는 가끔 그녀를 따라 발레학원까지 가곤 했습니다. 또 다른 친구는 이사를 가고 나서 연락이 끊기면서, 저희의 우정도 자연스레 멀어졌죠. 그때의 우리는 다양한 경험을 함께하며 성장했습니다.어느 날, 엄마께서는 저에게 시장에서 채소를 사오라고 부탁하셨습니다. 친구와 함께 시장에 갔고, 채소를 사고 집에 돌아오는 길이었습니다. 그런데 그 친구가 갑자기 채소들을 들고 가겠다고, 저에게서 그것들을 빼앗아갔습니다. 그 친구는 아마도 엄마에게 칭찬을 받고 싶었던 모양입니다. 그 친구는 어린 나이에도 불구하고 깜찍한 발상을 하곤 했습니다.중학교와 고등학교 시절, 저는 공부에 별다른 흥미를 느끼지 못했고, 결국 야간 고등학교에 다니게 되었습니다. 그곳에서도 친구들과 즐거운 시간을 보내며 학창 시절을 보냈습니다. 우리 동네에는 탁구를 아주 잘 치는 친구도 있었습니다. 그녀 덕분에 저는 탁구를 배울 수 있었고, 우리 동네 모퉁이의 큰 탁구장에서 많은 시간을 보냈습니다.특히 겨울이면 우리 동네 논밭은 스케이트장으로 변했습니다. 논밭에 물이 얼어붙어 스케이트를 탈 수 있었고, 그곳에서 많은 시간을 보내며 추운 겨울을 즐겼습니다. 우리는 떡볶이를 먹으며 매운 맛에 콧물을 흘리면서도 웃음을 잃지 않았습니다. 그 시절의 추억은 지금도 제 마음속에 생생하게 남아 있습니다.내 큰 언니는 미군부대에서 미국 제품들을 몰래 가져와 팔았던 일도 있었습니다. 그 행위가 불법이었음에도 불구하고, 언니는 필요한 사람들에게 필요한 물건을 전달하는 일에 자부심을 가졌습니다. 이 모든 이야기들이 지금 돌이켜보면 너무나 즐겁고, 그 당시 우리는 각자의 방식으로 살아가고 있었습니다. 이런 추억들은 지금도 저에게 큰 웃음과 행복을 주는 소중한 보물입니다."

2. 첫 키스부터 결혼까지

1. 얼음 위의 추억: 면목동에서의 달콤씁쓸한 추억들

둘째 언니가 면목동으로 이사 갔을 때, 그곳은 면목시장 끝에 위치해 모든 땅이 논밭이었습니다. 겨울이면 논밭이 얼어붙어 우리의 소중한 스케이트장으로 변신했습니다. 언니, 저, 그리고 사랑하는 조카는 겨울이 오기만을 손꼽아 기다렸습니다. 조카와 저는 나이 차이가 10살밖에 나지 않아 마치 친동생처럼 느껴졌습니다. 우리는 함께 탁구도 치고, 스케이트도 타면서 손잡고 다녔습니다.어린 시절, 둘째 언니는 조카가 사립 유치원에 다닐 수 있도록 시험 준비를 시키셨습니다. 그 과정에서 '시험을 앞두고 이빨을 발치하면 시험에 떨어진다'는 미신을 믿으셨죠. 그래서 언니는 조카의 이빨을 빼지 않도록 했습니다. 결과적으로 조카는 치아가 볼품없이 삐뚤어지게 나왔지만, 다행히 시험에 합격하여 사립 유치원에 다닐 수 있었습니다.언니는 조카를 정성스럽게 키우셨지만, 조카는 너무 일찍 세상을 떠났고 그는 모두를 슬프게 만들었습니다. 그는 효자였고, 정말 좋은 조카였습니다. 이 모든 이야기를 돌이켜보면, 인생이 얼마나 예측할 수 없는지, 때로는 어떻게 미신이 우리의 결정에 영향을 미치는지 신기하기만 합니다.이야기를 하다 보니, 스케이트를 타던 그 추운 겨울날들이 떠오릅니다. 얼음 위에서 미끄러지며 웃던 그 시절은 저에게 너무나 소중한 추억입니다. 조카와 함께 보냈던 시간들, 그 시절 우리가 함께 나눴던 행복한 순간들을 저는 결코 잊을 수 없습니다.

2. 야간 여상에서의 유쾌한 추억과 무모한 모험

학교로 가는 버스 안에서 벌어진 일은 지금 돌이켜보면 참으로 유쾌한 추억입니다. 어느 날, 저를 쳐다보던 한 남성이 한쪽 귀가 없는 모습이었습니다. 그 모습에 놀라 나는 정신을 잃을 뻔 했습니다. 그 와중에 제 책가방이 열려 있었고, 지갑까지 사라졌습니다. 없던 시절 왜 그리 소매치기들이 많았는지 모릅니다.고등학교 시절, 저희는 야간 여상에 다니며 정말 많은 장난을 쳤습니다. 저희 여섯 명의 여학생은 항상 문제를 일으키기로 유명했죠. 수업시간에 몰래 빠져나와 편의점에서 라면을 먹거나, 때로는 삶은 계란을 즐기곤 했습니다. 담임 선생님에게 걸려 교실 앞에서 회초리를 맞는 등, 저희의 학창 시절은 마치 소년만화의 한 장면 같았습니다.저희의 우정은 단순한 장난을 넘어 진정한 의미에서 서로를 이해하고 지지

하는 관계였습니다. 가장 소란스러웠던 시절, 저희는 조영남의 '딜라일라'를 합창하며 큰 소리로 불렀습니다. 그 소리에 지나가던 이웃들이 신고할 정도였지만, 그래도 저희는 그저 깔깔대며 웃을 수밖에 없었습니다.이 모든 추억들이 지금은 제게 큰 웃음과 따뜻한 추억으로 남아 있습니다. 우리는 사랑하는 친구가 남자친구를 만나러 갈 때면 종로의 제과점에서 빵을 얻어 먹으려고 그 시간을 기다리곤 했습니다. 그 시절, 저희는 철없이 무서운 것도 모르고 단지 앞만 보고 달렸던 말괄량이 시절을 보냈습니다. 지금 생각하면 정말 무모했지만, 그때의 저희는 그 어떤 것도 두렵지 않았습니다.

3. 졸업 이후의 깨달음: 서예, 선교, 그리고 미국으로의 꿈

졸업 후에 할 일이 없어서 집에서 빈둥거리는 시간도 잠시, 저는 종로의 한 서예 학원에 다니기 시작했습니다. 새로운 취미를 통해 문화적 감각을 키우며 많은 것을 배웠습니다. 친구들은 각자의 직장에서 바쁜 나날을 보내고 있었지만, 저는 서예에 푹 빠져 있었습니다.그때, 제가 가끔 다니던 영락 교회에서 자주 보던 키 크고 이목구비가 뚜렷한 미국인들을 만났습니다. 처음에는 그들의 특이한 외모에만 관심을 가졌지만, 이후 그들이 선교사라는 것을 알게 되었습니다. 그들과의 만남은 제 마음 속에 미국에 대한 호기심을 자극했습니다.특히, 잠을 자면서 꾸는 꿈들은 제게 더욱 깊은 인상을 남겼습니다. 나무 계단을 딛고 올라가 '이곳이 미국으로 가는 길'이라는 메시지를 하느님께서 보여주셨던 꿈은 지금도 기억에 생생합니다.또 다른 꿈에서는 다양한 색깔의 고추가 있는 고추밭을 보았고, 그 꿈에서 나는 미국과 관련된 상징적인 메시지들이 가득했던것으로 기억 합니다. 이러한 꿈들은 저의 삶에 큰 영향을 미쳤습니다.그것들은 저에게 더 넓은 세계로의 도전을 꿈꾸게 했고, 교회에서 만난 선교사들과의 대화는 제 인생에 재미와 흥미를 더했습니다. 이야기를 하다 보니, 그 당시의 모든 일들이 마치 한 편의 유쾌한 모험 같습니다. 이 모든 추억이 제 삶을 더욱 풍부하고 다채롭게 만들어 주었습니다."

4. 명동에서의 추억: 통신부터 뒷골목의 맛집까지

그때 그 시절, 친구가 직접 우리 집까지 찾아와서 저에게 전화상에서 같이 일하자는 제안을 받았습니다. 백수 생활을 청산하고 무언가 새로운 일을 시작할 수 있다는 사실이 매우 기뻤습니다. 그 시절, 전화상은 상당히 바빴습니다.고객들이 전화를 설치하면 저는 통신부에 전화 연결을 도와주고 접수하고 신청을 대행해주는 역할을 했습니다.일과 후에는 친구들과 함께 명동의 뒷골목을 돌아다니며 맛집 탐방을 하는 것이 일상이었습니다. 특히, 닭 튀김을 파는 집은 별미였습니다. 식초에 담근 달콤한 신무와 함께 나오는 치킨은 정말 환상적인 맛이었습니다. 명동의 골목길 안에는 숨어 있는 된장집, 닭 국수집, 오이소박이 등 유명한 식당들이 즐비했습니다.추운 겨울의 크리스마스 이브에 대연각 호텔에서 불이 난 사건은 매우 안타까웠습니다. 그 비극적인 순간들은 역사적인 사건이 되었고, 우리는 그때도 서로를 위로하며 그 상황을 견뎌냈습니다.지금 돌이켜보면, 명동에서의 추운 겨울밤, 치킨과 신무를 먹으며 친구들과 나눴던 따뜻한 대화들, 슬프고 비극적인 순간들까지 모두 제 삶을 더 풍부하게 만든 소중한 추억입니다. 이 모든 이야기들은 지금은 웃으며 회상할 수 있는 귀중한 경험으로, 때때로 그 시절을 돌이켜보며 삶을 더욱 사랑하게 됩니다.

5. 명동의 추억: 첫사랑과 첫 키스의 달콤한 서사

어느 날, 동네 친구의 오빠를 만나게 되었습니다. 그는 명동성당에 자주 다니는 천주교 신자였습니다. 저도 그와 함께 여러 번 성당을 방문하며 그의 식구들과도 가까워졌습니다. 그렇게 친구의 오빠와 저는 남산을 구경하고 영화를 보러 다니는 등 점점 가까워졌습니다. 우리는 연인이 되어 더욱 친밀해져 첫 키스도 나누었습니다.그러나 어느 날, 술에 취해 우연히 여관에서 하룻밤을 보내게 되었습니다. 첫 경험은 아프고 어색했고, 더 큰 문제는 아침에 여관비가 없었다는 것이었습니다. 저는 어쩔 수 없이 내 손목의 시계를 맡기고 여관을 나섰습니다. 그 이후로 우리 사이는 점점 소원해졌습니다. 그 오빠는 다른 여자에게 마음이 있었던 것 같고, 저는 상처받은 자존심을 안고 그를 보내기로 결심했습니다.그 후로 다른 남자친구를 만났지만, 진정으로 마음을 줄 수 있는 사람은 없었습니다. 그런데 이 모든 것이 어찌 보면 드라마 같은 청춘의 한 페이지였습니다. 남산에서의 데이트, 명동의 밤거리, 첫 키스의 떨림. 그리고 첫사랑의 아픔까지, 모든 순간이 지금 생각해보면 색다른 추억으로 남아 있습니다. 첫사랑의 설렘과 서투른 이별까지, 모든 경험이 저를 더욱 성숙하게 만들었습니다. 이제는 웃으며 그 때를 회상하며, 그 시절 모든 경험에 감사합니다.

6. 급진적 사랑의 시작: 계약에서 진심으로

그야말로 평범한 하루였습니다. 저는 전화 상담원으로 일하고 있었고, 어느날 옆집 통역 사무실 사장님은 저를 찾고 있었습니다. 한 남자는 미국 이민을 가기위해 계약 결혼을 위한 신부감을 찾고 있다고 말씀 하셨습니다. 그리고 사장님께서 미국 이민 준비중인 남자를 만나볼것을 권유 하셨습니다. 나는 영문을 모른체 그저 호기심에 그 남자를 만났습니다. 그는 급하게 신부감을 찾고 있었고, 사장님은 마치 누락된 체리를 찾듯 저를 소개시켜 주셨습니다.처음엔 이상하게 들렸습니다. 미국 영주권을 얻고 나면 이혼하기로 하고, 신랑 후보는 경상도 출신의 털털한 청년이었습니다. 그는 군 문제를 해결하기 위해 결혼을 서둘러야 했습니다.이참에 결혼해서 함께 가는 게 어때?' 통역 사무실 사장님의 제안에 저는 생각할 겨를도 없이 만난 지 하루 만에 그 남자와 함께 부산으로 기차를 타고 혼인신고를 하러 갔습니다. 그 상황은 드라마틱했습니다.부산에서의 첫날 밤, 저는 코미디처럼 첫 경험을 연기했습니다. '아야, 아야' 하면서 영화 속 주인공처럼 처녀 행세를 했습니다. 그러나 나중에 그에게 솔직히 고백했습니다. '나는 처녀가 아니니, 싫으면 헤어져도 좋아요.'그의 반응은 예상외였습니다. '이왕 만났으니 잘 살아보자고.' 그렇게 우리는 신뢰를 바탕으로 결혼식을 올리고, 서로의 가족과 함께 새로운 인생을 시작했습니다. 오해와 놀라움 속에서 시작된 우리의 사랑 이야기는 정말로 독특한 추억으로 남아 있습니다.

7. 결혼식 그 날의 기억: 소소하지만 잊을 수 없는 순간들

결혼식 날, 저는 오빠와 팔짱을 끼고 예식장으로 걸어가며 눈물을 흘렸습니다. 웨딩 마치 소리가 왠지 서글프게 들렸습니다. 우리의 신혼여행은 이름도 알려지지 않은 시골 촌 구석이었습니다. 거기에서 참외와 시금치를 잔뜩 사왔던 기억이 납니다.그해 여름, 나는 친구들과 함께 변산 해수욕장으로 여행을 갔습니다. 그날 제 남편이 될 사람이 갑자기 화를 내며 갑자기 닭도리탕을 만들고 있던 솥에 모래를 한 주먹 넣는 바람에 음식을 전부 버릴 수밖에 없었습니다. 나는 지금도 그 이유를 아직도 모릅니다.이민 준비로 분주했던 어느 날, 기분 좋게 장을 보고 저녁을 먹은 후 모텔에 들어갔습니다. 저는 아무 생각 없이 남편의 옷을 벽에 걸었는데, 그 벽은 금방 페인트칠을 한 곳이었고, 옷에 페인트가 묻었습니다. 그는 성질을 내며 그 옷을 찢어버렸습니다. 세탁소에 가면 깨끗이 될 텐데 왜 그랬을까, 그 날의 그 결정은 아직도 이해하기 어렵습니다.이 모든 일들이 처음으로 겪는 일들이라 서툴고 어색했습니다. 그때의 상황들은 제 인생에서 잊을 수 없는 색다른 기억으로 남아 있습니다.

8. 새로운 희망을 향한 마지막 밤: 한국을 떠나기 전의 결심

한국을 떠나기 전날, 저는 그와의 만남을 이어갈수록 마음은 더욱 복잡했습니다. 그날은 이민을 앞두고 보따리를 챙기는 일에만 몰두했었습니다. 그 당시 이태원에서 맞춘 옷을 기다리며 시간이 얼마나 흘렀는지 모르게 되었고 전화로 연락할 수 있는 방법도 없어 남편과의 약속 장소인 중앙극장 앞에 가지 못했다는 걸 나는 나중에 깨닫게 되었습니다. 저는 그가 이미 갔을 것이라고 생각했습니다.하지만 그는 내가 올때까지 무려 6시간이나 나를 기다리고 있었습니다. 나는 이런 일은 생각지도 못했고, 그의 인내에 감동받기도 했지만, 그는 화가 많이 난 상태였습니다. 그는 내가약속을 지키지 않아 그가 중요한 만남을 놓쳤다고 하며 화를 내었고, 급히 다른 약속이 있다며 택시를 잡고 떠나려 했습니다. 저는 미안하여 그와 같이 택시를 탔습니다.그러나 그는 계속해서 저에게 화를 냈고, 결국 차에서 내리자마자 그는 나에게 욕을 하며 발길짓을 했습니다.이 사건은 저에게 큰 충격이었고, 두려움이 밀려왔습니다. 저는 현재의 모든 것을 포기할까 고민했고, 하늘을 우러러 하나님께 도움을 청했습니다. "하느님 ! 어찌 합니까? 어떻게 할까요?" 그럼에도 불구하고 '미국'이라는 단어가 마음 한편에서 떠나지 않았습니다. '조금만 더 참자, 어떻게든 될 것이다'라는 마음으로 저 자신을 다독였습니다.결국, 저는 명동 다리에서 하염없이 눈물을 흘리며 마음을 굳혔습니다. 다음날, 마치 아무 일도 없었던 것처럼 짐을 챙기고 공항으로 향했습니다. 그 결정은 쉽지 않았지만, 새로운 시작을 위해 필요한 행동이었습니다. 이별 앞에서 느꼈던 감정들, 그리고 그로 인해 더욱 강해진 저 자신을 발견할 수 있었습니다. 이 모든 경험은 저를 더욱 단단하게 만들어주었습니다.

3. 새로운 도전과 성장

1. 이별과 시작의 사이: 한국에서 뉴욕까지

"엄마, 저 돈 많이 벌어서 올게요."그 말만 남기고, 엄마와의 마지막 작별이 될 줄은 상상도 못 했습니다. 저는 엄마를 편안하게 해 드리고 싶었을 뿐이었고, 곧 다시 만날 것이라 믿고 있었습니다. 엄마의 마지막 모습은 지금도 제 눈앞에 선명합니다. 엄마는 조심스레 말씀하셨습니다. "막내야, 그냥 여기서 살면 안 되겠니?" 엄마도 제가 떠나는 것이 불안하셨을 것입니다. 우리는 말로 표현하지 않아도 서로의 마음을 알아차렸습니다. 엄마의 슬픔이 가득한 모습을 뒤로하고, 저는 미국행 비행기에 몸을 실었습니다.긴 여정 끝에 케네디 공항에 도착했을 때, 저를 반갑게 맞이해준 사촌 누나와 매형, 그리고 한살배기 조카가 있었습니다. 누나는 간호사였고, 매형은 의사였습니다. 그들의 따뜻한 환영이 제 마음을 다독여 주었습니다.새로운 땅에서의 첫날, 저는 과거와 미래 사이에서 감정의 롤러코스터를 탔습니다. 엄마와의 이별이 아직도 가슴 한 켠을 아리게 했지만, 새로운 시작에 대한 희망도 솟구쳤습니다. 이 땅에서 새로운 삶을 시작하는 것이야말로 제가 엄마에게 드릴 수 있는 최고의 선물이 될 것입니다.나는 다짐하고 또 다짐했습니다.

2. 험난했던 초창기 미국 생활: 외로움 속에서 찾은 삶의 의미

1973년 8월, 미국 땅을 처음 밟았을 때의 기분은 상상 이상으로 쓸쓸했습니다. 뉴욕의 한적한 거리에서 발걸음을 옮기며, 저는 예상치 못한 고향의 그리움을 느꼈습니다. 이민자로서의 첫 생활은 낮과 밤을 맞바꾸어 가며 일하는 맞벌이가 일상이 되었습니다.첫 방문지였던 맨해튼의 화려함에 압도당했지만, 그 환희는 잠시뿐이었습니다. 일주일 후, 남편의 새 일자리를 따라 메릴랜드의 이스턴으로 이사를 가야 했습니다. 그곳에서 잠시 동안 누나의 집에 머물며, 여행 중인 누나 부부를 대신해 조카를 돌보는 일을 맡게 되었습니다. 처음엔 어찌할 바를 몰랐으나, 이웃의 도움으로 조카의 울음을 달래는 법을 배웠습니다.하지만 얼마 지나지 않아, 화장실 문에 조카의 손가락이 끼는 사고가 발생하여, 아이가 크게 울었습니다. 이 사고로 남편에게 크게 꾸중을 듣고, 심지어 폭력까지 경험해야 했습니다. 이스턴의 시골 생활은 쓸쓸하고 외로운 나날들이었고, 영어를 못하는 저는 집에 갇혀 남편을 기다리는 생활을 이어갔습니다.그러나 이 모든 어려움 속에서도 저는 포기하지 않고

하루하루를 견뎌냈습니다. 새로운 환경에 적응하려 애썼고, 이 과정에서 제 자신의 강인함을 발견할 수 있었습니다. 미국 이민 초창기, 외로운 거리에서 제 삶의 진정한 의미와 힘을 찾았습니다. 이 모든 경험은 지금도 제게 소중한 기억으로 남아 있으며, 살아가면서 마주하는 어떠한 어려움도 이겨낼 수 있는 용기를 주었습니다.

3. 뉴욕에서 펼쳐진 투쟁과 화해: 한 이민자의 성장기

처음의 설렘과 기대는 곧 현실의 벽 앞에 부딪혔고, 이민 초기의 낯선 환경과 문화 차이는 저에게 큰 도전이었습니다. 특히, 남편과의 관계는 갈등과 오해로 더욱 복잡해졌습니다.어느 날, 남편이 우연히 길에 버려진 차에서 몇가지 차부속품을 집에 가져왔다가, 이로 인해 경찰이 방문하는 소동이 일어났습니다. 언어 장벽으로 인해 상황을 제대로 파악하지 못했던 우리는 처음엔 당황스러웠지만, 우리를 도와준 한국인 통역 덕분에 오해를 풀 수 있었습니다. 이 일은 우리에게 큰 교훈을 주었고, 미국 생활에 있어 새로운 도전을 극복하는 데 큰 도움이 되었습니다.그러나 적응의 어려움은 계속되었고, 남편의 감정 불안정과 폭력적인 반응은 저를 깊은 고민에 빠지게 했습니다. 매일 고향의 그리움에 눈물을 흘리며 살아가야 했습니다. '이민 생활을 이대로 포기해야 하는가'하는 생각이 자주 들었습니다.이 모든 과정을 통해 저는 점점 강해지고 자신감을 얻었습니다. 뉴욕에서의 생활은 저에게 많은 것을 가르쳤고, 동시에 많은 것을 요구했습니다. 이제 저는 어떠한 어려움도 나를 쉽게 무너뜨리지 못할 것임을 알게 되었습니다. 제 삶의 이야기는 이민자로서의 시련과 성장을 담은 것으로, 진정한 '집'을 만들어가는 과정에서의 극복과 화해의 기록입니다. 이 모든 경험은 이제 소중한 추억으로 저를 더욱 단단하게 만들어 주었습니다.

4. 미국에서 피어난 용기: 이민자의 도전과 성장 이야기

미국의 이민은 예상과 달리, 저를 맞이한 것은 낯선 환경과 언어의 벽이었습니다. 불안함을 느끼며 낯선 도시의 거리를 걸었지만, 포기하지 않고 취업을 시도했습니다.남편이 일하는 공장까지 김밥을 싸들고 걸어가는 일은 그곳에서 나에게 첫 일상이 되었습니다.. 늦은 밤에는 짖는 개 소리에 심장이 쿵쾅거렸지만, 남편에게 따뜻한 식사를 전하려는 마음이 저를 용기 있게 했습니다. 이러한 일상의 작은 용기들이 저를 조금씩 강하게 만들었습니다.또한, 미용 기술을 배운 경험을 살려 미장원에 일자리를 구하려 노력했습니다. 손짓과 발짓, 영어 사전을 이용해 의사소통을 시도했지만, 여러 차례 거절당했습니다. 그러나 나는 포기할수 없었습니다. 매번의 거절마다 새로운 시도를 멈추지 않고, 그 과정을 통해 배우고 성장했습니다.새로운 땅에서의 생활은 많은 도전을 안겨주었지만, 그 모든 경험을 통해 저는 자신감을 얻었습니다. 이 경험들은 이제 저에게 소중한 추억으로 남아 있으며, 그것들을 통해 제 삶은 더욱 풍부해졌습니다.

5. 도로 위의 첫 도전: 미국에서의 운전과 적응

남편과 함께하는 주말 우리는 늘 두 시간을 운전해 사촌 누나의 집으로 향했습니다. 그 길에서 나는 미국의 넓은 도로를 실감했고, 동시에 새로운 경험들을 마주했습니다. 특히 기억에 남는 것은 드라이브 스루에서의 첫 햄버거 주문이었습니다.차 안에서 주문을 시도했을 때, 커뮤니케이션의 어려움은 예상보다 컸습니다. 여러 번 말을 해야 했고, 저희의 주문을 받은 흑인 직원은 손짓으로 $5를 요구했습니다. 우리는 말이 통하지 않으니 어쩔 수 없이 돈을 내고는 의아해했습니다. '와, 비싸다!' 우리는 그 순간 서로를 바라보며 탄식했습니다.나중에 그 상황을 되돌아보며, 그 때 5달러나 지불한 것이 실은 '바가지'였음을 깨달았습니다. 그 시절에도 우리와 같이 낯선 이들을 대상으로 하는 불공정한 행위가 존재했던 것입니다. 이는 단순한 식사 주문에서부터 새로운 사회의 복잡함에 적응하기까지, 이민자로서 겪는 다양한 도전의 한 단면을 보여주는 어려움이었습니다.이 경험은 낯선 땅에서의 삶에 대한 나의 인식을 넓혔고, 앞으로 마주할 수많은 도전에 대비하게 만들었습니다. 이러한 순간들은 때론 어렵고 힘들지만, 나를 더욱 강인하게 만드는 소중한 교훈이 되었습니다. 이 모든 경험을 통해, 나는 새로운 환경에서 생존하고 번성하는 법을 배웠습니다.

6. 바늘과 실로 짜여진 이민자의 꿈: 일상 속에서 배우다

이민 초창기, 나는 낯선 환경에서 적응하고, 남편의 변덕을 견디며, 한국에서의 행복했던 시절을 그리워했습니다. 그리운 친구들과의 추억은 매일 내 마음을 무겁게 했지만, 새로운 땅에서 생계를 유지하기 위해 일자리를 찾아 나설 수밖에 없었습니다.운 좋게도 남편의 오랜 친구인 한 가족을 통해 직업을 구할수 있는 기회를 얻었습니다. 이 가족은 나에게 바느질 일을 소개해주었고, 그 일은 나의 경험 부족에도 불구하고 그것을 배울 수 있는 좋은 기회를 만들어 주었습니다.처음에는 어색하고 서툴렀지만, 조금씩 기술을 익히기 시작했습니다.동료들 사이에서도 유대가 형성되었고, 나는 주어진 작업에 최선을 다해 누구보다 많은 양을 완성하며 노력의 결실을 맺었고 관리자는 나를 인정하기 시작 하였습니다. 그러나, 나의 노력이 다른 동료들과의 성과의 차이를 만들고 나로 하여금 그들은 나에게 불만을 사게 되었습니다.이민자로서 매일매일을 최선을 다해 살아가야 한다는 것, 그리고 어려운 상황에서도 서로를 이해하려는 노력이 얼마나 중요한지를 깨달았습니다. 이민 생활이 언제나 쉽지는 않지만, 우리 각자가 맡은 역할을 성실히 수행하면서, 함께 성장해 나가는 과정 속에서 진정한 강인함을 배우고 있었습니다. 이 모든 것이 이제는 내 삶의 중요한 부분이 되어, 도전과 성장의 귀중한 교훈으로 남아 있습니다.

7. 바퀴 위에서 펼쳐진 꿈: 미국에서 운전을 배우다"

미국의 넓은 들판을 바라보며 처음으로 운전대를 잡았을 때, 저는 제 삶의 새로운 장을 열고 있다고 느꼈습니다. 운전을 배우기로 한 결심은 단순한 이동 수단이 아니라, 이국에서의 자립을 향한 제 의지의 표현이었습니다. 그러나 초반의 도전은 결코 쉽지 않았습니다.처음에는 남편이 자주 찾던 정크야드에서 시간을 보냈습니다. 사고 차량이 널브러진 그곳에서, 저는 깊은 두려움과 마주했습니다. 남편은 버려진 차들 사이에서 무언가를 찾는 것을 즐겼지만, 저에게는 그곳이 쓸쓸하고 무서운 장소였습니다. 그리고 그곳에서의 운전 학습은 저에게 많은 것을 가르쳐 주었습니다.운전 학습 과정은 많은 시행착오를 동반했습니다. 잘못된 길로 들어서거나 정지 표지판을 놓치는 실수가 잦았고, 실기 시험에서 두 번의 낙방을 경험했습니다. 그러나 저는 포기하지 않았고, 필기 시험에 합격한 후 계속해서 도전했습니다.남편의 엄격함과 때로는 부당한 압력 속에서도, 저는 운전을 통해 무언가를 이루고자 하는 제 결심을 굽히지 않았습니다. 운전 면허를 따는 그 여정은 단순한 자동차 운전을 넘어, 새로운 사회에서 제 역량을 증명하고자 하는 여정이었습니다.우리 각자의 삶에서 우리 모두는 어떤 형태로든 자신만의 운전대를 잡고 때로는 낯선 길을 탐험해야 합니다. 제 이야기가 누군가에게 용기와 영감을 줄 수 있다면, 이보다 더 큰 보람은 없을 것입니다.

8. 오해에서 깨달음까지: 맨해튼의 극적인 한 순간

어느 화창한 날, 저희는 뉴욕 맨해튼의 번화가를 차로 달리고 있었습니다. 서두른 나머지, 실수로 일방통행 길로 들어섰고, 상황을 정정하려고 U턴을 시도했습니다. 그 순간, 우연히 은행 앞에서 차를 멈추자마자, 은행 경비원들이 우리를 강도로 오인하고 총을 들고 나왔습니다.경비원 3-4명이 총을 겨누고 있는 그 광경은 마치 영화 한 장면 같았습니다. 우리는 순간적으로 당황했지만, 신속하게 차를 몰고 현장을 벗어났습니다. 그 상황에서의 빠른 판단력이 큰 위험을 피할 수 있게 해주었습니다.이 사건은 우리에게 많은 교훈을 주었습니다. 거리의 표지판과 교통 규칙을 언제나 주의 깊게 확인해야 한다는 것, 그리고 예상치 못한 위험한 상황에서도 침착함을 유지하는 중요성을 일깨워 주었습니다. 그 날의 경험은 아찔했지만, 지금은 그 어려움을 극복한 덕분에 더욱 강해질 수 있었던 귀중한 순간으로 기억됩니다.정말 숨 막힐 듯한 순간이었지만, 모든 것이 빠르게 진행되었고, 우리는 그 상황에서 안전하게 벗어날 수 있었습니다.

4. 고통과 희망의 순간들

1. 오해와 화해의 길목에서: 가족 간의 어려운 대화

뉴욕에서의 생활은 매일이 도전이었습니다. 특히 길을 찾는 일은 언제나 스트레스가 되었죠. 남편은 운전을 맡고 저는 지도를 읽는 역할이었지만, 종종 길을 잘못 찾아 남편과의 갈등이 생기곤 했습니다. 저에겐 작은 실수처럼 느껴지는 것들이 남편에게는 큰 문제였으며, 그로 인해 종종 실랑이가 벌어졌습니다.사촌 누나의 집을 방문한 날, 저는 그간의 고충을 누나에게 털어놓았습니다. 누나는 저의 어려움을 공감해주었고, 저는 그간의 오해가 저만의 문제가 아니라는 것을 알게 되었습니다. 그러나 남편은 그 자리에서 감정을 제어하지 못하고 저에게 손찌검을 가했고, 이를 본 매형이 남편을 제지하면서 더 큰 소동이 일어났습니다.이 사건은 가족 간의 갈등이 어떻게 극단적인 상황으로 치달을 수 있는지를 보여주었습니다. 매형의 개입으로 인해 남편의 행동이 제지되긴 했지만, 그 후의 분위기는 더욱 냉랭해졌고, 우리 가족 관계는 그들 가족과 한층 멀어졌습니다.이 경험을 통해 저는 가족 간에도 서로의 차이를 이해하고 존중하는 것이 얼마나 중요한지 깨닫게 되었습니다. 갈등의 순간마다 서로를 이해하려는 노력이 필요하며, 때로는 건강한 경계를 설정하는 것이 필요하다는 교훈을 얻었습니다. 이러한 사건들이 우리를 더욱 강하게 만들며, 사랑과 이해를 바탕으로 더 나은 관계를 구축해 나갈 수 동기가 되었습니다.

2. 니아가라의 이중주: 폭포의 장엄함과 개인의 아픔

한 여름의 어느 날, 이모님이 한국에서 방문하셨고, 우리 가족은 니아가라 폭포로 특별한 여행을 떠났습니다. 뉴욕에서 캐나다까지의 긴 여정을 함께 했고, 이동하는 동안 차창 너머로 펼쳐지는 아름다운 풍경에 모두가 마음을 빼앗겼습니다.니아가라 폭포에 도착하자, 우리는 폭포의 장엄한 모습에 숨이 멎을 듯했습니다. 배를 타고 폭포의 중심까지 다가가면서, 그 강렬한 물줄기의 아름다움과 위력에 경탄했습니다. Sky Lounge에서는 폭포를 내려다보며, 이곳에 얽힌 슬픈 전설을 듣게 되었습니다. 폭포의 아름다움에 이끌려 목숨을 잃은 이들의 이야기는, 자연의 장엄함 뒤에 숨겨진 슬픔을 상기시켰습니다.그러나 이 평화로운 분위기는 오래 지속되지 못했습니다. 남편이 불안정한 감정을 드러내기 시작했고, 배 위에서도 그의 화는 폭발했습니다. 저는 그의 화를 직접적으로 받아야 했고, 결과적으로 얼굴에 멍이 들어 선글라스로 감추어야만 했습니다. 이로 인해 나머지 여행 기간 동안은 불편함 속에서 시간을 보내야 했습니다.이 여행은 자연의 아름다움 속에서 개인적인 아픔을 경험했고, 아름다움과 슬픔이 교차하는 순간들을 통해 깊은 성찰의 기회를 제공했습니다. 폭포의 장엄함은 우리의 내면에 숨겨진 슬픔을 반영하는 거울과도 같았습니다. 또한 내면의 감정을 어떻게 관리해야 하는지에 대한 중요한 교훈을 남겼습니다.

3. 어려운 결정의 그늘: 이민자로서의 가슴 아픈 선택

미국 이민 초기, 뜻밖의 임신 소식이 우리 부부에게 찾아왔습니다. 사랑하지 않는 관계 속에서 태어날 아이에 대한 두려움과 혼란이 컸습니다. 부부 사이에 이미 많은 갈등이 존재했기에, 이 아이가 우리에게 무엇을 의미하는지 심각하게 고민했습니다. 결국, 아이를 가질 준비가 되지 않았다는 결론에 도달했습니다.이 어려운 결정을 남편에게 직접 전달하기 힘들어, 나는 직장에서 만난 미국인 동료에게 도움을 청했습니다. 그녀는 내 상황을 이해하고 큰 위로가 되어주었습니다. 그녀의 추천으로 지역 내 한국인 의사를 만나 상담을 받았고, 그는 우리의 결정을 지지하며 필요한 의료 조치를 취해주었습니다.이 과정을 겪으며, 남편도 상황을 수용했지만, 이 후 우리 관계는 여전히 불안정했습니다. 폭력과 다툼이 잦았고, 남편은 그때마다 후회와 사과를 반복했습니다. 이런 순환 속에서도 나는 매일을 버텨냈고, 비록 폭풍 속에 있다 해도 나 자신의 피난처를 찾아 힘겨운 싸움을 이어갔습니다. 이민 생활의 어려움 속에서도 우리는 때로는 무겁고 큰 결정을 내려야 합니다. 이 경험은 내게 인내와 용기의 진정한 의미를 가르쳐 줬고, 그 어떤 상황에서도 자신을 잃지 않는 법을 배우게 했습니다.

4. 새로운 시작을 향한 결단: 이별 후에 찾아온 희망

남편은 때때로 가족에 대한 의무감을 보여줬습니다. 그는 정기적으로 나의 엄마에게 용돈을 보냈고, 자신의 부모님께도 재정적인 지원을 제공했습니다. 나 역시 일을 하며 가족을 돕긴 했지만, 그의 행동에서 진심이 느껴졌습니다. 그러나 그의 반복되는 실수와 곁에서 겪는 고통을 더는 참을 수 없었습니다.긴 고민 끝에, 나는 그와 더 이상 함께할 수 없다는 결정을 내렸습니다. 우리 사이에 조화로운 점이 하나도 없다고 느꼈으며, 나의 행복을 찾기 위해 변화가 필요함을 깨달았습니다. 결국, 그와의 관계를 끝내고, 새로운 삶을 시작하기 위해 집을 떠났습니다.버스 터미널에 차를 세우고, 큰언니가 있는 뉴욕으로 향했습니다. 언니는 나에게 한 친구의 주소를 주며, 필요할 때 언제든지 도움을 요청하라고 말했습니다. 그 주소를 들고, 나는 새로운 미래를 향해 떠났습니다. 그 순간, 나는 과거의 이별이 아니라 새로운 시작을 맞이할 준비가 되었음을 깨달았습니다. 이 모든 과정이 저에게는 새로운 희망을 찾는 여정이 되었습니다.

5. 뉴욕에서의 도전: 나의 어색하고도 용감한 적응기

뉴욕의 낯선 땅에서 나는 말 한마디 제대로 하지 못하는 이방인이었습니다. 그러나 오랜 시간 노력한 끝에 영어가 조금씩 나오기 시작했습니다. 비록 말이 서툴고 어색했지만, 무사히 목적지인 Brooklyn, N.Y.에 도착할 수 있었습니다. 택시 운전사에게 주소를 보여주며, 운전사는 나를 큰언니의 친구가 사는 작은 아파트로 안내했습니다.그곳에서 잠시 머물러야 했지만, 금방 독립해야 한다는 압박감에 취직을 시도했습니다. 간호 보조원 일을 찾았지만, 성공하지 못했습니다. 그러던 중, 우연히 만난 한국인을 통해 맨해튼에서 가발 가게를 운영하는 그의 언니를 소개받았습니다.그녀는 나에게 새로운 일자리를 소개 시켜 주었고 결국, 나는 맨해튼과 뉴저지 경계선에 위치한 일본 식당에서 일할수 있게 되었습니다. 이곳은 고객을 버스로 픽업하는 독특한 시스템을 가진 식당이었고, 나는 일을 배우며 일본식 기모노를 입고 서빙을 시작했습니다. 식당의 주인은 일본 여성이었고 그녀의 남편은 미국인이었습니다. 그들의 외모는 내가 만났던 모든 사람들중에서 가장 인상적이었습니다.이 새로운 환경에서 나는 일본식 예절을 배우며, 여러 어려움에 직면했습니다. 기모노와 나막신이 익숙하지 않아 일하는 것이 매우 어려웠고, 뒷걸음질 치며 인사하는 일본식 예절을 자주 잊어버렸습니다. 결국, 적응 실패로 인해 일자리를 잃었지만, 이 모든 경험은 나에게 중요한 교훈을 주었습니다.이 이야기는 나의 뉴욕에서의 첫 도전이자, 낯선 문화와 환경 속에서 어떻게 나 자신을 발견하고 성장했는지에 대한 기록입니다. 나는 이 경험을 통해 끈기와 용기가 얼마나 중요한지 배웠고, 이민자로서 새로운 사회에서 살아남기 위해 필요한 강인함을 키웠습니다.

6. 어둠 속에서 찾은 빛: 극복의 여정

어려운 상황 속에서도 엄마를 걱정시키고 싶지 않았습니다. 공중전화로 한국에 전화를 걸었을 때, 비용이 많이 들었음에도 불구하고 엄마에게는 "엄마, 나 여기 잘 있으니 걱정하지 마세요"라고 말씀드렸습니다. 엄마는 저를 안심시키기 위해 "걱정 마, 나도 잘 지내니까"라고 답하셨습니다.이후, 사촌 누나를 통해 친구의 집에 임시로 머물면서 도움을 받았습니다. 그곳에서 나는 남편이 나를 찾고 있다는 소식을 듣게 되었고, 남편은 나를 만나기위해 간절히 애원 하였습니다.그래서 나는 그를 만나기로 하였습니다.만나자마자 그는 나를 강가로 데려갔고, 강물 속으로 무작정 끌고 들어갔습니다. 물이 거의 목까지 차오르는 상황에서, 그는 자신의 잘못을 인정하고 다시는 그런 행동을 반복하지 않겠다며 진심으로 용서를 구했습니다. 또한, 다시 문제를 일으키면 함께 죽자고 약속했습니다.나는 그의 진심을 믿고 다시 한 번 용서를 선택했습니다. 그것은 일시적인 평화를 가져 왔지만 작은 도시에서의 삶은 나에게 많은 창피함을 안겨주었습니다. 사람들이 우리 사정을 다 알게 되었고 나는 더 이상 그곳에서 살 수 없다고 느꼈습니다. 나는 남편에게 "이사 가자"고 제안하며, 우리는 새로운 시작을 위해 다른 곳으로 이사를 결심했습니다.나의 어두운 시기를 극복하고 새로운 시작을 결심하는 과정을 통해, 나 자신과의 싸움에서 어떻게 승리를 거둘 수 있었는지를 독자에게 전달합니다.

7. 새로운 터전에서의 시련과 시작

Baltimore 근처에서 새로운 아파트를 얻은 저희는 이사하는 길에 차량 고장을 겪었습니다. 엔진에서 연기가 피어오르며 차량이 멈춰 섰고, 우리는 결국 길가에 차를 버려두고 걸어갈 수밖에 없었습니다. 그 때, 미국인 한분이 스포츠카로 우리를 태워주셨습니다. 두 사람만 탈 수 있는 차였지만, 그 분의 친절로 우리 세 명 모두 탑승할 수 있었습니다. 이사 후, 우리는 재정적인 어려움을 겪게 되었고, 미처 준비하지 못한 채 우리는 공장 일을 그만두게 되었습니다. 급히 취직이 필요했던 저는 가스 스테이션에서 일하기 시작했지만, 그 일이 저에게 맞지 않아 고민이 많았습니다. 제 체격은 작은 편이어서 육체적으로 더욱 힘든 일이었습니다.이때 나는 오하이오에 사는 친구에게 연락했고, 그녀는 우리가 그곳으로 이주하길 권했습니다. 비록 아파트 계약을 1년간 했으나, 겨우 일주일 동안 머물렀기 때문에 계약을 파기하면 큰 벌금을 내야 했습니다. 우리는 아파트를 깨끗이 청소하고, 키와 함께 사과의 편지를 문앞에 남기고 오하이오로 떠나 새로운 시작을 하기로 결정했습니다.

5. 미국이민 소중한 발견

1. 봄날의 기적: 뜻밖의 친절과 놀라운 발견

어느 화창한 봄날, 우리는 생생한 햇살과 장엄한 경치를 즐기며 운전하고 있었습니다. 우리는 새로 이주할 곳에서 머물 곳을 찾지 못해 방황하고 있었는데, 그때 한 아주머니께서 급히 나와 우리에게 봉투를 건네셨습니다. 아마도 그녀는 우리가 도움이 필요해 보였던것 같습니다. 우리는 괜찮다고 말씀드렸지만, 그분은 우리에게 작지 않은 돈을 챙겨 주었습니다. 저희는 그분의 은혜를 절대 잊을 수 없었습니다. 우리는 결국 지인분의 소개로 방을 빌리게 되었고, 그방은 제가 상상도 못 할 장소였습니다. 벽은 플레이보이 잡지로 도배되어 있었고, 집주인 여성은 자신의 다양한 5번의 결혼 생활과 배 다른 다섯 명의 자녀에 대해 자랑스러워하셨습니다. 한국에서는 상상조차 할 수 없었던 일이었습니다. 이 모든 것은 저에게 실제로 일어난 일이며, 새로운 세계의 문이 열린 순간이었습니다.

2. 도전 속에서 발견한 새로운 시작: 미국에서의 첫 걸음

어느 봄날, 친구의 주인집 할머니 덕분에 임시 거처를 마련할 수 있었습니다. 당시 저는 일자리를 찾아야 했고, 제 손재주를 살릴 수 있는 재봉일에서 기회를 얻었습니다. 의자 커버를 만드는 일로 제 인생의 새로운 시작을 알렸습니다. 그곳에서 일하며 저는 나름대로의 성취감을 느꼈습니다. 남편도 자동차 회사에 취업에 성공하여, 우리는 작고 귀여운 차를 구입할 수 있었습니다. 하지만 복잡한 차량 조작에 익숙하지 않아, 운전 중 큰 위험을 경험했습니다.북미시건 대교를 건너던 중, 강한 바람에 차가 크게 흔들렸습니다. 그 순간, 나는 자연의 거대한 힘 앞에서 얼마나 작고 연약한 존재인지를 깨달았습니다. 그리고 어느 날, 남의 집 앞에 차를 잘못 주차하게 되어 집주인과 마찰이 생겼고, 안타깝게도 그 사건으로 남편은 한쪽 귀를 듣지 못하는 큰 상처를 입었습니다. 상대방은 아무런 해명도 없이 사라져 버려 우리는 그들을 찾지 못했습니다.이 모든 경험들은 제 삶의 도전이자, 계속된 시련이었습니다. 모든 일에는 그 나름의 이유가 있으며, 때로는 그 이유를 찾기 위해 우리는 험난한 길을 걸어가야만 합니다. 이 글은 제가 겪은 어려움을 통해 얻은 교훈과 변함없는 희망 및 용기의 메시지를 담고 있습니다.

3. 함께 걸어온 고통의 길: 연대감 속의 위로

평화로운 일상이 갑작스런 사고로 한순간에 흔들렸습니다. 어느 평범한 날, 신호등에서 대기 중이던 남편의 차량이 뒤에서 들이받혔습니다. 그 굉음과 함께 시작된 고통은 남편을 가누기 어렵게 만들었습니다. 사고는 다행히 신속하게 처리되었지만, 남편은 다음 날 허리 통증을 호소하기 시작했습니다. 제공된 약물과 따뜻한 샤워는 잠시 동안만 고통을 완화시켜 주었습니다.병원을 다시 찾았지만, 남편에게 주어진 것은 단지 휴식과 진통제였습니다. 그 순간, 우리는 깊은 무력감과 절망을 느꼈습니다. 밤이 깊어 이웃의 도움을 청할 수도 없는 상황에서, 그저 서로의 옆에서 위로하는 것만이 우리가 할 수 있는 전부였습니다.이 힘든 시기를 통해, 저희 부부는 서로에 대한 깊은 이해와 함께 사는 것의 중요성을 깨달았습니다. 고통스러운 순간에도 서로의 작은 손길이 큰 위로가 되었고, 이러한 연대감은 우리의 결속을 더욱 공고히 했습니다. 가시밭길을 함께 걸으며 우리는 서로가 서로의 버팀목이 되어주는 가족의 소중함을 다시 한 번 깨닫게 되었습니다. 이 경험은 우리에게 귀중한 교훈을 주었으며, 어떤 고난도 함께라면 이겨낼 수 있다는 것을 보여주었습니다.

4. 낯선 땅에서 피운 희망의 꽃: 가시밭길에서 발견한 연대

어느새 말이 통하지 않는 낯선 땅에 발을 딛은 우리. 남편의 몸은 점점 지쳐갔고, 무엇을 해야 할지 몰라 방황했습니다. 그럼에도 불구하고, 우리의 행운은 한국 출신의 신경외과 전문의를 만나게 된 것이었습니다. 그 의사는 우리에게 큰 위로와 희망의 불빛이 되었습니다. 그의 치료는 큰 도움이 되었지만, 아픔은 여전히 가시지 않았습니다. 여러 의사를 만나며 치료를 시도했지만, 모두 단순한 약 처방과 휴식을 권할 뿐이었습니다.생활은 점점 더 어려워졌고, 경제적인 어려움 속에서 우리는 사투를 벌였습니다. 대공황이 시작되어 일자리를 잃는 이들이 늘어나는 가운데, 우리도 불황의 파도에 휩쓸려 일거리를 찾지 못했습니다. 돈이 떨어지고 식량이 바닥나면서 걱정은 더욱 커져만 갔습니다.그러나 기적 같은 도움의 손길이 우리에게 다가왔습니다. 한국인이 처음으로 발명한 소형 설탕 포장지 공장의 부사장님이 우리의 어려움을 알고, 긴급 빈곤 구호 프로그램을 소개해주셨습니다. 정부는 종이로 만든 쿠폰을 주었고 그것은 종이 돈 같은 것이었습니다.그 쿠폰은 단순한 종이 조각이 아니었습니다. 그것은 연대와 공감, 인간의 따뜻한 마음이 담긴 소중한 선물이었습니다. 그로 인해 우리는 낯선 땅에서 생명의 꽃을 피울 수 있었고, 모든 어려움 속에서도 희망을 잃지 않았습니다. 이 경험은 우리에게 깊은 교훈을 주었으며, 어떠한 고난 속에서도 희망의 빛은 꺼지지 않는다는 것을 가르쳐 주었습니다.

5. 새로운 땅에서의 투쟁과 희망: 오하이오에서의 이민자 일기

오하이오의 낯선 땅에서, 그것은 음식을 사는 단순한 수단이 아니라, 생존의 상징이었습니다. 창피함이 눈물을 자아내기도 했지만, 삶은 계속되어야 했고, 그 어떤 식으로든 우리는 살아가야 했습니다. 나는 더 나은 삶을 위해 이 땅에 온 것이며, 왜 이렇게 살아야 하는지에 대한 질문이 내 안에서 울려퍼졌습니다.우리는 그 쿠폰을 단 두 달 동안만 받았습니다. 다른 일자리를 찾게 되면서 먹고사는 걱정에서 해방되는 계기가 되었습니다. 많은 한국인들이 설탕 공장에서 일했지만, 나는 다른 길을 택했습니다. 나는 톨레도 오하이오 다운타운 근처의 대형 커버 제작 공장에서 일하기 시작했습니다. 그곳에서는 대형 배에 사용되는 커버를 만들었고, 일은 강도가 높았습니다. 한 사람이 바느질을 하고, 다른 이는 옆에서 끌고, 또 다른 이는 거대한 커버 위로 올라가 당겨야 했습니다. 방수 천으로 만들어진 커버에는 바느질 자국 위로 본드 글루를 발라야 했고, 그 부작용으로 얼굴이 붓기 시작했습니다.이 이야기는 생존을 위한 투쟁, 새로운 시작, 그리고 미지의 세계에서의 도전에 대한 기록입니다. 이곳 오하이오에서 펼쳐진 고군분투의 날들과 그 과정에서 발견한 연대의 가치, 그리고 새로운 삶에 대한 희망의 불꽃을 독자와 나누고 싶습니다. 이 모든 경험은 제게 깊은 교훈을 주었으며, 어떠한 상황에서도 희망을 잃지 않고 삶을 헤쳐 나갈 수 있음을 일깨워 주었습니다.

6. 의료 오디세이: 낯선 땅에서의 치유와 깨달음

남편은 교통사고 후유증으로 극심한 허리 통증을 겪었습니다. 우리는 적절한 치료를 제공할 수 있는 의사를 찾지 못했습니다. 그래서 남편은 허리 치료를 위해 남쪽의 명의를 만나 치료 받기를 결심했습니다. 그는 한 장의 편지와 가득한 희망을 안고 떠났습니다.남쪽에서 남편은 친구의 추천으로 뛰어난 의사를 만났습니다. 그 의사는 남편에게 마이엘로그램이라는 특별한 X-레이 검사를 받을 것을 권유했습니다. 남편은 이 검사를 받기 위해 오하이오에 있는 병원으로 갔고, 그곳에서 큰 기대를 품고 검사를 받았습니다.그러나, 남편의 상태는 개선되지 않았고, 병의 정확한 원인을 찾지 못했습니다. 의료진의 무반응과 오해 사이에서 정신적으로 크게 충격을 받았습니다. 결국 그는 병원의 정신과로 옮겨졌고, 거기에서 한국 의사의 설명을 듣고 비로소 상황을 이해할 수 있었습니다.언어의 장벽과 문화적 차이가 의료 상황에서 어떻게 큰 오해를 불러올 수 있는지를 보여줍니다. 우리는 때로 의학적 판단과 개인의 경험 사이의 괴리를 경험하며, 이는 의료 체계 내에서의 소통과 이해의 중요성을 다시한번 알게 되었습니다.

7. 투병과 희망: 한 이민자 가족의 진단을 향한 여정

남편의 허리 통증은 점점 심해지고 의료진에게 정확한 진단을 받지 못한 채 오랜 시간이 흘렀습니다. 의료 시험과 잘못된 진단이 이어졌고, 그 사이에 남편은 심리적 치료가 필요하다는 조언을 받았습니다. 한 달간의 정신병동 생활이 지속 되었고 그는 퇴원을 원했지만, 그는 알수 없는 약물 부작용으로 인한 신체적 변형이 발생하게 되었습니다. 이에 긴급하게 조치를 취해 새로운 약을 처방받아 점차 회복되기 시작하였습니다.그러나 남편의 고통은 계속되었고, 결국 사촌누나와의 대화 끝에 다시 한 번 다른 병원을 찾기로 결심했습니다. 이번에는 뉴욕의 Parkson 병원에서 myelogram을 통해 S-3-4-5 디스크가 신경을 누르고 있는 것을 발견했습니다. 이 진단을 받고 너무나 기뻐 눈물을 흘렸습니다.수술은 쉽지 않았습니다. 완치 확률이 50:50이라는 말에 큰 두려움과 우려가 있었지만, 남편은 포기하지 않고 투병을 계속했습니다. 투병의 긴 여정과 그 과정에서 겪은 신체적, 정신적 고통, 그리고 그 속에서 우리는 희망을 찾았습니다. 우리의 경험이 투병 중인 모든 이에게 힘이 되기를 바라며, 결코 포기하지 않는 용기를 나누고자 합니다.

8. 치유의 여정: 의료 도전과 끝없는 감사

힘든 시간을 겪고 있는 동안, 남편의 건강 문제가 절정에 달했습니다. 25살의 젊은 나이에 처음으로 수술대에 올랐고, 이는 막대한 심적 부담으로 다가왔습니다. 첫 번째 수술은 무사히 마쳤고, 그 과정에서 사촌 누나의 지극한 보살핌과 도움으로 건강을 점차 회복할 수 있었습니다. 그녀의 무조건적인 지지와 사랑에 깊은 감사를 느꼈습니다.하지만 안타깝게도, 남편은 다시 수술을 받아야만 했습니다. 두 번째 수술 역시 성공적이었으나, 이 과정에서 우리는 많은 경제적 어려움을 겪었습니다. 그럼에도 불구하고 우리는 사촌 누나와 의료진의 지원 덕분에 이 어려운 시간을 견뎌냈습니다.이 글은 남편과 함께 겪은 의료 여정을 통해, 우리가 마주한 경제적, 신체적 어려움과 그 속에서 발견한 연대와 희망의 이야기를 담고 있습니다. 모든 고통과 도전 속에서도 우리는 결코 포기하지 않고, 희망을 품고 한 걸음씩 전진했습니다.

trust your
JOURNEY

6. 생존의 여정

1. 꽃에서 시작된 변화: 소자본 창업으로 꿈을 키우다

남편의 회복 기간 동안 생계를 위해 시작한 부업은 내 인생에 새로운 전환점을 마련해주었습니다. 처음엔 집에서 수제 꽃 장식을 만들어 집집마다 판매했습니다. 이 일은 시간이 많이 걸렸고 힘든 노력이 필요했습니다. 그래서 더 효율적인 방법을 모색하게 되어 Avon 화장품 판매를 시작했습니다. 카탈로그를 보여주며 주문을 받았고, 많은 주문을 받을수록 50%의 수익이 나의 것이 되었습니다.나는 그것을 통해 꾸준히 고객을 확보하고 약간의 돈을 모을수 있게 되었습니다. 그러던 중 나는 교회 친구의 장사 이야기를 듣고 나도 그 길에 대하여 관심을 가지게 되었습니다. 남편과 상의 후, 디트로이트 다운타운 근처에서 장소를 물색하기 시작했습니다.

2. 새로운 시작: 디트로이트에서의 희망 찾기

급격히 변화하는 디트로이트의 한 구석에서, 나는 장사를 시작할 새로운 장소를 찾고 있었습니다. 경제적으로 어려워져 가는 동네에서, 백인들이 떠나고 흑인들이 새로 이주해 온 지역, 미시간 애비뉴 근처에서 저렴한 가게를 찾았습니다. 이곳은 디트로이트 다운타운 근처의 쇠락한 지역이었지만, 소자본으로 시작할 수 있는 유일한 곳이라는 판단 하에 선택했습니다.제가 일하던 Derkin & WISE Co.에서는 제가 사직을 하겠다고 하자, 급여를 올려주겠다며 저를 붙잡으려 했습니다. 나는 그들의 호의에 감사하지만 나는 장사를 시작하고자 디트로이트 다운타운으로 간다고 설명했습니다. 동료들은 놀라면서도, 그 지역의 범죄율에 대해 걱정했습니다. 톨레도의 주민들조차 디트로이트를 '범죄 도시'라고 불렀습니다.하지만 나는 그런 소문에 휩쓸리지 않았습니다. 오히려, 나는 도전을 받아들이기로 했습니다. 동료들은 이해하지 못했지만, 퇴직할 때까지 많은 도움과 지지를 받았습니다. 회사는 휴가와 퇴직금까지 지원해 주었고, 그들의 지원 덕분에 저는 더 큰 감사의 마음을 가지고 새로운 시작을 할 수 있었습니다.마침내 디트로이트의 한 구석에서 잡화와 가발 가게를 열었습니다. 이곳에서 시작된 작은 사업은 저에게 새로운 희망을 안겨주었고, 쇠락해가는 동네에서도 빛을 발할 수 있었습니다. 어려움 속에서도 희망을 잃지 않는 것이 얼마나 중요한지를 깨달았고, 그 경험은 제 인생에 큰 전환점이 되었습니다.

3. 새로운 시작의 기쁨과 시련: 디트로이트의 소소한 일상

새벽부터 시작된 긴 하루, 뉴욕의 사촌누나와 교회 친구들의 도움으로 드디어 나는 가게 문을 열었습니다. 이른 아침부터 Ohio에서 Detroit까지 걸리는 한 시간이 넘는 운전을 하며, 도시락을 싸 가지고 출근했습니다. 모든 것이 처음이었지만, 열정 하나로 일을 시작했습니다. 우리는 Michigan northline에 작은 아파트를 얻었고, 장사도 서서히 자리를 잡아갔습니다.남편은 아파도 가게 준비에 큰 도움을 주었고, 저는 그의 노력에 항상 감사하다고 말을 잊지 않았습니다. 당시 저는 믿음과 감사의 마음을 잃지 않으려 노력했습니다. 사업은 점차 번창하여 곧 새 차를 구입할 수 있었고, 우리에게 첫 아이도 찾아왔습니다. 초기에는 마진을 적게 받고 물건을 팔았는데, 고객들은 저렴한 가격에 만족하며 제품을 많이 구매했습니다.하지만, 장사가 안정되면서 주변 상인들은 가격을 적당히 올려야 한다고 조언했습니다. 단골들이 점점 늘어났고, 때로는 그들의 다양한 인생 스토리에 공감하면서 일하는 것이 즐거웠습니다. 하지만 즐겁고 행복한 일만이 있었던것은 아닙니다. 때때로 뚱뚱하고 오랜 시간 목욕을 하지 않은 듯한 냄새가 심한 여성 고객이 와서 가발을 맞추고 스타일을 요청했을 때, 그 냄새에 토할 것만 같은 고통 또한 겪었습니다. 그럼에도 불구하고 그 순간도 감사하며 꾹 참고 최선을 다했습니다.이러한 경험들은 저에게 인내와 감사의 중요성을 깨닫게 했으며, 각자의 삶에서 겪는 시련과 기쁨을 받아들이며 살아가야 함을 일깨워주었습니다.

4. 뉴올리언스의 밤: 기대치 않은 모험

어느 날, 갑작스럽게 친구들과 텍사스로 차를 타고 떠난 여행은 기획되지 않았으나 기억에 남는 모험이 되었습니다. 오하이오에 사는 교회 친구, 그의 아내, 그들의 어린 딸과 함께한 이 여정은 우리 모두에게 처음 있는 긴 여행이었습니다. 여행 중에는 루이지애나 시티에 들렀습니다. 그곳의 습기와 이국적인 분위기는 마치 다른 세계에 온 것 같은 느낌을 주었습니다.주말에 도착해 도시는 더욱 붐볐고, 밤이 되자 온갖 쇼가 펼쳐졌습니다. 남성들의 호기심을 자극하는 공연이 많았는데, 유독 눈에 띄었던 것은 늘씬한 여성들이 거의 알몸으로 춤을 추는 것이었습니다. 더욱 충격적이었던 것은 한 공연자가 자신의 몸을 이용해 바나나를 자르는 행위를 보여주었습니다. 처음 보는 광경에 남성들은 더욱 열광했고, 이는 그 날의 흥미로운 하루를 만들어주었습니다.이 여행은 예상치 못한 광경과 함께 했던 모험으로, 삶에서 때때로 우리가 계획하지 않은 경험들이 얼마나 풍부하고 다채로울 수 있는지를 깨닫게 해주었습니다. 우리 모두가 집으로 돌아온 후에도, 뉴올리언스에서의 밤은 우리의 대화에서 빠짐없이 등장하는 추억으로 자리 잡았습니다.

5. 텍사스로의 폭풍 여정: 홍수와 위기의 순간들

여행은 때로 예상치 못한 모험을 선사합니다. 이번에는 텍사스 근처로 계획 없이 떠난 여행이었습니다. 하지만 우리가 몰랐던 것은 그 지역에 홍수가 발생하고 있다는 사실이었습니다. 비가 억수같이 내리며, 도로가 보이지 않을 정도였고, 결국 우리 차에 물이 차오르기 시작했습니다.친구 한 명은 물속을 걸어 길을 안내했고, 다른 한 명은 차 안으로 들어온 물을 퍼내며 고군분투했습니다. 우리는 운이 좋게도 큰 사고 없이 위기를 넘겼지만, 그 순간의 공포는 말로 표현할 수 없었습니다.그러나 여행의 위험은 여기서 끝나지 않았습니다. 친구의 남편이 운전을 맡고 부인이 조수석에 앉아 있었는데, 부인이 차문을 열어달라고 요청했습니다. 부인의 신체 일부를 창문틈 밖에 있다는 것을 발견하지 못하고 남편은 무심코 자동창문을 닫았고, 부인의 목이 창문에 끼어 큰 위험에 처했습니다. 다행히 큰 사고로 이어지지 않았지만 이 여행은 우리에게 자연의 힘과 예측 불가능한 상황에 대한 존중을 가르쳐 준 귀중한 경험이었습니다. 각 순간의 불확실성 속에서도 서로를 지키며 나아가는 우정과 결속력을 확인할 수 있었습니다. 이 여정은 모험과 위험, 그리고 친구들과의 깊은 유대감을 확인하는 시간이었습니다.

6. 생명의 순환: 잃고 얻는 사이에서

제 이야기는 잃음과 얻음 사이의 극적인 순환을 통해 펼쳐집니다. 엄마의 사망 소식을 임신 중인 상태에서 뒤늦게 알게 되었을 때, 마음은 깊은 슬픔에 잠겼습니다. 엄마를 다시 볼 수 없다는 사실은 내게 큰 상실감을 안겨주었지만, 세월이 그 아픔을 치유해줄 것이라는 말에 위안을 삼았습니다.그러나 삶은 계속되어야 했고, 아들을 세상에 맞이했습니다. 그는 큰 목소리로 울부짖으며 태어났습니다. 'Big mouth'라고 의사가 말할 정도로 생기 넘치는 그의 울음소리는 새 생명의 기쁨을 알렸습니다. 처음에는 아들의 귀가 유난히 크게 보여 기형이

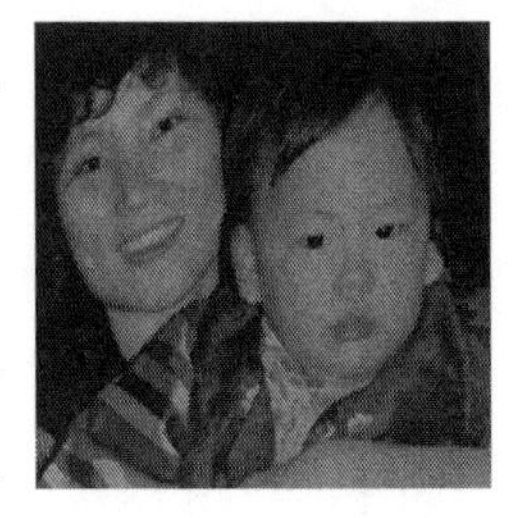

아닌가 걱정했지만, 그저 귀가 큰 걸로 드러났을 때의 안도감은 말로 표현할 수 없었습니다.이렇게 삶과 죽음 사이의 감정적 롤러코스터를 경험하며, 나는 강해졌고, 엄마가 주었던 사랑을 아들에게 온전히 전달하기로 마음먹었습니다. 아들에

게 흘러넘치는 사랑을 주면서, 잃어버린 것들에 대한 슬픔도 조금씩 치유되었습니다. 이 경험은 저에게 인생에서 얻는 것과 잃는 것 사이의 균형에 대해 깊이 생각하게 만들었습니다.

7. 우리 가게의 작은 기적과 도전

미국에서 한국 아줌마와 함께 우리 가게를 운영하면서 겪은 일련의 사건들을 기억합니다. 아줌마는 국제 결혼을 통해 영어가 유창했고 우리 가게에서 큰 도움이 되었습니다. 특히 아이가 태어난 후, 그녀는 큰 냄비에 미역국을 끓여와 주며 산모를 위한 따뜻한 마음을 전해주었습니다. 그 미역국은 저에게 큰 힘이 되었고, 정말로 감사했습니다.나는 산후조리를 못하고 삼일 만에 일을 다시 시작할수 밖에 없었습니다. 가게에서 일하다가, 백일도 되지 않은 아들을 안고 있을 때, 한 여성이 돈을 훔치려고 저를 밀쳤습니다. 순간적으로 아이가 다칠까 봐 깜짝 놀랐습니다. 다행히 남편이 그때 들어와 그녀를 붙잡아 지하실로 데려갔고, 남편은 그녀가 가발 속에 숨겨둔 돈을 찾아내었습니다.이 사건 이후로 아기를 안전하게 보살필 베이비시터를 구했지만, 그녀 또한 몇 달 만에 그만두고 떠나면서 다시 한번 도전에 직면했습니다. 아기를 다시 가게로 데려와야 했고, 나의 사랑하는 첫째아이는 다시 한번 가게의 일상이 되었습니다. 일과 가족 간의 균형을 찾으려는 이민자의 투쟁과 그 과정에서 겪는 일상들입니다. 이 모든 경험을 통해 나는 더 강해졌고, 가족과 함께라면 어떤 어려움도 극복할 수 있다는 것을 배웠습니다.

8. 아들과 함께한 시련과 기적의 순간들

어느 날 큰 사건이 발생 하였습니다. 아들은 장난감을 입에 넣어 숨을 쉴 수 없게 되었습니다. 남편이 아들을 뒤집어 들고 나가다가 장난감이 떨어져 아들이 간신히 숨을 쉴 수 있게 되었을 때, 우리는 깊은 안도의 숨을 쉬었습니다. 아마 그 장난감이 몸속에서 나오지 않았다면 끔찍한 일이 발생했을거라 생각합니다. 또 다른 날에는 벽에 있는 후크에 눈을 다쳤을 때, 급히 병원을 찾았습니다. 그 병원 안과 의사는 아이가 운다고 꾸짖는 모습을 보고 우리는 이해할 수 없는 그 의사의 반응에 실망하고 한국 의사있는 병원으로 아이를 데려갔습니다. 다행히도, 상황은 생각보다 심각하지 않았습니다.부모로서 겪는 불가피한 고민과 아들과의 각별한 순간들이 우리 가족에게 어떤 의미인지를 되새기게 하며, 모든 어려움 속에서도 우리 가족의 사랑과 보살핌이 얼마나 중요한지를 일깨워 주었습니다.

7. 잃고 얻는 사이에서

1. 앨리사: 잠깐의 만남, 영원의 기억

내가 임신한 둘째 아이, 앨리사는 우리 곁에 오래 머물지 못했습니다. 그녀의 이야기는 아주 짧았지만, 우리 가족에게 남긴 의미는 지대합니다. 임신 6개월이 지났을 때, 갑작스러운 유산의 위험에 처하면서, 앨리사를 자연분만으로 출산할 수 없었습니다. 결국, 응급 상황에서 제왕절개를 해야만 했고, 그녀는 우리와 겨우 하루를 함께 한 후 하늘나라로 떠났습니다.이 짧은 만남은 저에게 큰 슬픔을 안겼지만, 그녀의 존재가 주는 깊은 의미와 감동을 잊을 수 없습니다. 그녀는 한국인 묘지에 안치되어 있으며, 그곳은 이제 우리 가족에게 소중한 추억과 위로의 장소가 되었습니다. 앨리사는 비록 우리 곁을 떠났지만, 그녀의 기억과 정신은 여전히 우리 가족의 일부로 남아 있습니다. 우리는 그녀를 통해 인생의 소중함과 가족의 의미를 다시 한번 되새기게 되었습니다.

2. 길 위에서 찾은 황홀한 순간들

어느 날, 우리 가족은 갑작스러운 여행을 결정했습니다. 미리 계획하지 않았지만, 우리는 가게 문을 닫고 캘리포니아로 향하는 길에 올랐습니다. 그 긴 여정 동안, 미국의 넓은 땅을 가로지르며 우리는 여러 주를 거쳐갔습니다. 그 중 한 곳에 멋진 온천이 있었으나, 당시 인종 차별로 인해 동양인의 입장이 거부되었고, 우리는 그저 지나칠 수밖에 없었습니다. 이 경험은 우리에게 깊은 인상을 남겼고, 이러한 차별이 아직도 존재한다는 사실에 실망감을 느꼈습니다.여행은 계속되어 유타와 블랙 마운틴을 거쳐, 친구의 언니가 살고 있는 애리조나 투손에 도착했습니다. 그곳에서 우리는 환대를 받으며 잠시의 휴식과 즐거움을 경험했습니다. 여행의 마지막 코스로 라스베이거스를 방문했을 때, 그 황홀한 불빛과 화려한 쇼는 마치 다른 세상에 온 것 같은 느낌을 주었습니다.라스베이거스에서는 아들을 한국 할머니가 운영하는 베이비싯에 맡기고, 저는 남편과 함께 카지노에서 슬롯 머신을 즐겼습니다. 돈을 잃으면서도 그 재미에 푹 빠져 밤을 새우기도 했습니다. 이 모든 경험은 우리 가족에게 잊을 수 없는 추억을 선사했고, 각자의 고유한 방식으로 삶을 즐길 수 있는 소중한 시간이었습니다.

3. 물들지 않은 시간들: 한 이민자 가족의 여정

저는 여러 독촉장을 받았음에도 세금을 내지 않던 가게 주인으로부터 밀린 세금을 대신 내고 또 다른 가게 하나를 인수하게 되었습니다. 우리의 가게는 점차 자리를 잡아갔고, 우리는 그 성과에 더욱 만족했습니다. 그리고 한국에서 어머니가 돌아가신 후 처음으로 고향을 방문했습니다. 어머니의 산소를 찾아 헤매다 그곳에서 가슴 아픈 추억과 마주했습니다. 고향의 풍경은 변하지 않았지만, 마음속의 공허함은 채워지지 않았습니다.미국으로 돌아와 시부모님과 함께할 여행 계획은 긴장감으로 가득했습니다. 그러나 시아버지의 갑작스러운 분노는 저를 놀라게 했고 나에게는 이러한 상황은 생소하고 너무 불편했습니다. 우리는 여행을 함께 계획했지만 시아버지와 시어머니의 큰 부부싸움으로 시아버지는 혼자 필라델피아로 여행을 떠나시고 일주일 후 그는 먼저 한국으로 돌아 가게 되었습니다. 그 후 어머니는 미국에 좀더 머물고 한국에 가게 되었고 그녀가 도착하자마자 아버지는 어머니에게 큰 물 바가지로 물을 퍼부셨다고 합니다. 가족 간의 사랑과 갈등, 이해와 불화가 어떻게 공존하는지를 가르쳐 주었습니다. 비록 고통스러운 순간들도 있었지만, 각자의 방식으로 가족을 이해하고 받아들이려는 노력이 저에게 큰 교훈을 남겼습니다.

4. 가발 가게의 시련: 진실과 오해 사이

평범한 일상 속에서도 변화는 끊임없이 일어납니다. 어느 날부터 남편은 점점 이해력이 부족하고 자신의 의견만을 주장하는 사람으로 변해갔습니다. 그의 화는 종종 소리 지르고 심지어는 구타로 이어지곤 했습니다. 주변 사람들은 때로 그러한 행동이 특정 지역 사람들의 성품 때문이라고 말하곤 했습니다.저희 가발 가게에서도 위험한 일이 발생했습니다. 한국에서 온지 얼마 되지 않은 아줌마와 함께 일하던 중, 한 부부처럼 보이는 두 사람이 가게에 들어왔습니다. 여자는 배를 크게 부풀려 임신한 척하며 가발을 써보겠다고 했습니다. 그때 그녀와 함께온 남자는 작은 총을 들이대며 저와 아줌마에게 자리를 옮기라고 위협했습니다. 그 순간, 아줌마는 겁에 질려 자리에 주저앉았습니다. 그들은 금방이라도 폭발할 것 같은 분위기에서 저를 구석으로 몰고 돈통에서 돈을 꺼낸 후 가발을 들고 도망쳤습니다. 나중에 알고 보니, 여자는 임신한 것이 아니었고, 모든 것이 계획된 범죄였습니다.이 사건은 저에게 큰 교훈을 주었습니다. 평범해 보이는 일상 속에서도 예기치 못한 위협이 도사리고 있는곳, 그곳이 바로 미국이었습니다.

5. 불안의 그림자: 디트로이트 다운타운의 시련

어느 날 아침, 남자 둘이 우리 가게 문 앞에 나타났습니다. 그날 나는 혼자 있었기 때문에 나는 문을 꼭 잠그고 있었습니다. 그들은 외모가 점잖은 흑인 신사처럼 보였습니다. 그들은 문을 열라고 요구하며 문을 흔들었고, 나는 천천히 걸어가 문을 열었습니다. 그 순간, 한 남자가 총을 들이대며 진열장 안의 전자 제품들을 꺼내려 하였습니다. 그러나 그 문은 열리지 않았습니다. 그들은 점점 더 강하게 문을 열라고 종용했고, 나는 더 느리게 문을 열려고 했습니다. 그러나 그들 중 하나가 화가 나서 총으로 제 왼쪽 귀 머리 쪽을 치기 시작했습니다. 나는 아픔을 참으며 문을 열어주었고, 그들은 전자 제품을 몽땅 상자에 담아 갔습니다. 다행히 목숨은 건졌지만, 퍼렇게 든 멍으로 인해 오랫동안 고통을 겪었습니다.남편은 도둑들을 잡기 위해 며칠 동안 근처를 찾아다녔습니다. 이 지역은 마약 소굴로 악명 높아 경찰조차 들어가기를 꺼려했습니다만 남편은 경찰에게 함께 들어가자고 제안

했고 그들은 이곳이 너무 위험하다며 거절했습니다. 디트로이트 다운타운은 마약과 범죄의 도시로 유명했습니다. 이러한 경험은 우리가 얼마나 취약한지, 그리고 때로는 법과 질서가 손댈 수 없는 곳까지도 범죄의 그림자가 미친다는 사실을 깨닫게 했습니다.

6. 가족의 힘: 이민 생활의 도전과 성장

이민 생활은 우리 가족에게 많은 도전을 안겨주었고, 장사 또한 우리를 시험했습니다. 처음에 옷 가게를 시작했을 때, 나는 상품 구입을 잘못하여 많은 물건이 재고로 남았습니다. 흑인과 백인 고객층의 취향 차이를 제대로 파악하지 못한 탓이었습니다. 나는 백인 고객층을 겨냥한 Dearborn에 새로운 가게를 찾기 시작했고, 나는 죽어가는 쇼핑 센나터에서 저렴한 가게세를 활용해 사업을 재정비했습니다.가게에서는 아이들을 돌보는 일도 큰 과제였습니다. 한 번은 그곳에서 아기의 기저귀를 갈았는데, 이를 본 고객이 좋아하지 않았습니다. 반면 흑인촌 가게에서는 그런 상황에 대해 별다른 관심이 없었습니다. 결국 남편이 흑인촌 가게에서 아이들을 돌보기로 했고, 두 아들을 책임지면서 일할 한국 점원을 고용했습니다.그러나 어느 날, 디트로이트의 가게를 방문했을 때, 남편이 거울을 깬 큰 아들을 나무로 때리고 있는 장면을 목격했습니다.이 일로 인해 나는 눈물을 흘리며 다시 아이들을 돌볼 수 있는 도우미를 찾아야 했습니다. 남편은 일과 가정의 스트레스로 인해 짜증과 많은 스트레스를 겪게 되었습니다. 이러한 일들은 우리 가족에게 많은 시련을 주었지만, 동시에 우리가 서로를 더 의지하게 만드는 계기가 되었습니다.

7. 기적과 손실: 투쟁과 회복의 이야기

어느 평범한 아침, 예기치 않게 고통이 찾아왔습니다. 저는 임신 중이었고, 아무런 징후 없이 하혈이 시작되었습니다. 그때 저를 깨운 것은 둘째 아들 앤디였습니다. 그는 밀크를 원했고, 저는 극심한 고통 속에서 남편에게 도움을 요청했습니다. 남편은 빠르게 대응하여 구급차를 불렀고, 그 순간 저는 내 자신보다 두 아들의 미래를 걱정했습니다.구급차 안에서, 저는 의식이 명멸하며 삶과 죽음의 경계에서 헤맸습니다. 응급조치 덕분에 목숨을 구할 수 있었지만, 안타깝게도 태반 분리로 인해 두번째 딸 아이를 잃게 되었습니다. 그 사건은 저에게 큰 충격을 주었고, 마음의 상처가 깊었습니다. 더욱이 그 시점에서 시아버지마저 갑자기 세상을 떠나셨습니다. 저는 그의 장례식에 참석할 수 없었고, 동시에 두 가지 큰 마음의 아픔을 직면해야 했습니다.우리 가족은 매년 현충일에 모두 모여 떠난 두딸을 위해 묘지를 방문합니다. 그곳에서 우리는 김밥을 나누며, 잃어버린 사랑하는 이들을 추억합니다. 이러한 경험들은 삶에서 겪은 시련들과 그 시련들이 우리에게 남긴 교훈들을 되새기게 합니다. 이 모든 것을 통해, 저는 어떤 상황에서도 희망을 잃지 않고 가족을 사랑하는 법을 배웠습니다.

8. 생명의 부름: 잃고 얻은 것들의 이야기

나는 피임을 안하다보니 또 아기를 가지게 되었습니다. 어느날 나는 가게에 도착하자마자 화장실에서 심한 하혈을 겪었고, 구급차를 타고 도착한 간호원의 빠른 판단과 응급처치를 받고 병원에 도착할 수 있었습니다. 그리고 한국 의사의 빠른 조치 덕분에 피 주사를 맞고 목숨을 건질 수 있었습니다. 그 과정에서 제 목숨을 구한 간호원과 의료진에게 감사의 말도 제대로 전하지 못한 채, 일상으로 돌아가야 했습니다.온몸이 부서지는 아픔속에서 나는 쉴수 없이 다시 일을 시작할수 밖에 없었습니다.그 당시 나는 제 몸을 돌볼 여유조차 없었던것 같습니다. 나는 어린 아이들을 키우며 생계를 유지하기 위해 지치지 않고 일해야 했습니다. 이 모든 고난 속에서도 저는 무엇보다 삶의 소중함을 깨닫고, 주변 사람들의 작은 친절과 도움이 얼마나 큰 힘이 되는지 배웠습니다. 이러한 경험들은 저에게 삶과 죽음 사이에서 무엇이 진정 중요한지를 일깨워 주었습니다.

8. 어둠속 희망의 빛

1. 투쟁과 희망의 교차점

그날도 평범한 하루였어야 했지만, 삶은 때로는 비극적인 순간들로 가득 차 있었습니다. 강도들이 우리 가게의 지붕을 뚫고 들어와 물건을 훔치려 했으나, 다행히도 물건을 챙기지 못하고 떠나갔습니다. 그 이후로는 불안 속에서 밤을 지새우며, 가게 안에서 총을 차고 있어야만 했습니다.불안정한 일상 속에서, 끊임없이 다투는 날들이 이어졌고, 이유 없는 이유로 시작된 다툼들을 이해해야만 했습니다. 그 와중에 다시 임신이 되었지만, 의사는 상황이 좋지 않다며 아기를 지우는 것을 권했습니다. 이런 상황 속에서도 남편과의 심각한 다툼이 이어졌고, 결국 혼자 걸어가며 생각에 잠겼습니다.임신 중인 저를 밀쳐 넘어뜨리고, 얼굴에 상처를 입힌 그 순간, 저는 결심을 했습니다. 불행한 가정에서 더 이상 아이를 기르고 싶지 않다고, 이 결정이 아이에게는 미안하지만, 천사가 되는 것이 나을 거라 믿으며, 하늘나라에서 행복하길 바랐습니다.이 모든 경험을 통해, 저는 사랑 없는 환경에서는 아이도 행복할 수 없다고 믿게 되었습니다. 그때 나는 주어진 두 아들을 위해 최선을 다해 열심히 살기로 결심했습니다. 더 이상의 불행은 허용하지 않기로 마음먹었습니다. 이는 제 삶의 새로운 장을 여는 결정이었고, 모든 어려움 속에서도 희망을 찾기로 했습니다.

2. 암흑의 밤: 기다림 속에서 찾은 깨달음

내 삶의 한 페이지는 남편과의 끊임없는 갈등과 싸움으로 어둡게 물들었습니다. 특히, 종업원 앞에서 일어난 하나의 충돌에서 남편은 화를 내며 옷걸이를 내 머리에 던져 작은 상처를 남겼지만, 그 상처보다 더 깊은 것은 마음속에 새겨진 상처였습니다. 이 일 이후로도, 사소한 일에도 우리는 자주 다퉜으며, 갈등은 종종 폭력으로 이어졌습니다. 이런 다툼 속에서도 나는 참고 참았지만, 결국엔 참을수록 상황은 악화되었습니다. 어느 날, 일을 하다가도 싸움이 발생해 그 자리를 피해 나왔다가 돌아와보니 가게는 이미 문이 닫혀 있었습니다. 당시에는 전화로 연락하는 것도 어려워 전화 메시지를 여러 번 남겼음에도 불구하고, 남편은 아무런 답도 하지 않았고 남편은 나를 데리러 오지 않았습니다. 흑인촌의 어두운 동네 가게 앞에서 혼자 기다려야 했고, 자정이 지나도록 아무도 나타나지 않아 점점 더 두려움이 커졌습니다. 그 지역은 밤이면 위험한 곳으로 변했고, 나는 무서워서 움직일 수도 없이 건물 코너에 숨어서 긴 밤을 지새웠습니다. 이 악몽 같은 밤은 영원히 잊을 수 없는 경험이 되었으며, 나에게 삶의 깊은 깨달음을 주었습니다.

3. 삶의 길, 서로를 이해하며 걷다

우리의 일상은 남편의 변덕스러운 성품과 마주하며 펼쳐졌습니다. 한국의 '삼한사온'처럼 때론 맑고 화창한 날이 있었지만, 종종 험난한 날들이 더 많았습니다. 남편이 신체적 어려움을 겪으면서 일상이 더욱 힘들어졌지만, 우리 둘 다 서로를 이해하려고 노력했습니다. 가정의 화목을 바라는 마음으로, 뉴욕까지 긴 거리를 운전해 좋은 물건을 저렴하게 구입하고 판매하는 일을 했습니다. 이 모든 노력은 행복한 가족을 위한 것이었습니다.가끔은 가족과 함께 여행을 겸해 사촌누나의 집을 방문하고, 시장에서 물건을 직접 보며 새로운 유행을 먼저 선보일 수 있었습니다. 이런 여정은 종종 위험을 동반한 긴 운전 시간을 요구했지만, 저희는 토요일 밤에 출발해 일요일 아침에 도착하는 등, 휴일을 이용해 효율적으로 시간을 관리했습니다. 이동 중에는 졸음을 떨치기 위해 얼음을 얼굴에 대거나, 허벅지를 꼬집는 등의 방법으로 서로 교대하며 운전했습니다.남편은 물건을 지키며 화장실도 참아야 했고, 이러한 작은 희생들이 모여 우리는 점차 삶의 질을 개선하며 큰 집을 마련할 수 있었습니다. 이 모든 과정 속에서, 하루하루가 서로를 더 깊이 이해하며 함께 성장해가는 여정이었습니다.

4. 길 위의 가족: 이동과 갈등의 시간들

우리 가족의 생활은 이동식 집, 모터홈을 구입하면서 새로운 전환점을 맞이했습니다. 물건을 구입하며 동시에 여행을 즐길 수 있었고, 이모님은 아이들을 차 안에서 돌봐주셨습니다. 이모님의 도움에 항상 감사했으며, 그분이 이제는 저세상에 계신다고 생각하면 더욱 보답하지 못한 것에 대해 마음이 아픕니다.어느 날, 차 안에 물건을 가득 실고, 잠 잘 시간도 없이 불편함을 감수하며 교대로 운전하는 동안 위험을 넘나들었습니다. 그런 힘든 시간들 속에서도 우리는 장사를 이어가며 점차 자리를 잡았습니다. 시간이 지나면서 서로의 삶의 방식 차이로 자주 다투었습니다. 특히, 서로를 도와야 할 상황에서도 남편은 이유 없이 화를 내고, 나를 비난하면서 말싸움을 벌였습니다.이런 상황들이 겹쳐서 마음의 상처는 깊어갔고, 서러움에 눈물을 흘리며 오롯이 울어야만 하는 날들이 많아졌습니다. 이 모든 경험들은 우리 가족이 감내해야 했던, 길 위의 여정이자, 갈등과 화해의 연속이었습니다.

5. 잊혀진 존재: 내 삶의 조용한 외침

여러 번의 유산과 꾸준한 피로감이 내 삶을 지배해왔습니다. 남편과의 관계에서 저는 종종 무시당하고 소외된 존재가 되어 왔습니다. 그는 자주 저를 말없이 내버려두고 자신의 일에 몰두하곤 했습니다. 특히 어느 날, 남편은 국제 결혼을 한 점원에게 볼일이 있어 그녀의 집에 갔을 때, 나와 아들은 차 안에서 세 시간 넘게 그의 복귀를 기다려야 했습니다. 그의 무관심과 무책임한 행동은 저를 더욱 외롭고 상처받게 했습니다.주위의 사람들과 함께 웃고 떠드는 남편을 보며, 저는 투명인간처럼 느껴졌고, 내 존재가 완전히 무시당하고 있다고 느꼈습니다. 이러한 일들은 제 자아를 더욱더 지치게 만들었고, 내 자신이 너무나 서글펐습니다. 하지만

두 아들을 생각하며, 참고 견디어야 하는 삶을 이어갔습니다. 이 모든 경험은 저의 내면에 깊은 상처를 남겼지만, 동시에 제가 더 강한 사람이 되는 데 도움을 주었습니다. 내 삶에서 스스로의 가치를 찾아가는 여정은 계속되었습니다.

6. 잔혹한 사랑의 그림자

어느 날, 또 이유 같지 않은 이유로 남편이 시비를 걸었습니다. 자신의 아버지가 나 때문에 일찍 세상을 떠났다며 소리를 지르고, 그것도 모자라 폭력을 휘둘렀습니다. 저는 집안에서 두려움에 떨며 도망쳤고, 결국 화장실의 싱크대 아래로 숨었습니다. 그곳에서도 폭력은 계속되었고, 그는 "내 마음이 나쁘니 너는 가슴을 맞아야 한다"며 나를 때렸습니다. 점점 멍이 들어 진한 보라색으로 변했습니다. 화가 난 남편은 그의 말을 듣지 않았다는 이유로, 갑작스럽게 나의 얼굴을 큰 주먹으로 치며 턱을 밀어 넣었습니다. 입이 제대로 닫히지 않자, 그는 잘못을 깨닫고는 기술적으로 반대 방향으로 턱을 치는 시도를 했습니다. 다행히 턱은 원래대로 돌아왔습니다.이 모든 고통과 서러움 속에서도, 나는 두 아들을 위해 이 모든 것을 참고 견뎌내야만 했습니다. 나의 삶은 계속되어야 했으며, 아들들에게 더 나은 삶을 제공하기 위해 끊임없이 노력했습니다. 이는 잊을 수 없는 아픔이자, 슬픈 인생 이야기입니다.

7. 잠깐의 사랑, 길어진 그림자

둘째 아들은 정말 사랑스러웠습니다. 그러나 엄마로서 집에 자주 없었기에 아이에게 충분한 사랑을 전하지 못했습니다. 그저 아침마다 그를 깨우고 예쁘게 옷을 입혀 학교에 보내는 시간만이 사랑하는 둘째 아들과 함께할 수 있는 몇 안 되는 유일한 시간이었습니다. "아들 학교 가야지,"하며 그에게 옷을 입혀주곤 했습니다. 그런데 어느 날, 나는 둘째 아들에게 "이제 스스로 옷을 입을 나이가 되었어 아들 ! 이제 혼자 해보렴" . 세상 모든것을 잃어버린 표정을 하고 "엄마가 안 해줘도 돼, 내가 할 거야"라고 말하는 아들은 하염없이 닭똥같은 눈물을 흘리고 있었습니다, 나는 조금 더 그 시간을 연장할 걸 그랬다는 후회가 들었습니다.남편은 차 사고 후유증으로 점점 이상하게 변해갔습니다. 계절이 바뀔 때마다 그의 상태는 더욱 심해졌고, 남을 의심하며 자신을 해칠 것이라고 믿는 정신병 증상도 보이기 시작하였습니다. 그런 남편을 보며 나는 너무 힘들었습니다. 가족을 위해 참고 견뎌내야 하는 일상의 무게는 점점 더 무거워만 갔습니다. 이 모든 고통 속에서도, 아이들을 위해 희망의 끈을 놓지 않으려 노력했습니다.

8. 새로운 시작, 하와이에서의 희망

둘째 언니의 아들이 유학 오기로 했을 때, 나는 다시 힘을 얻을 수 있었습니다. 조카는 학교를 다니며 집안 일도 도와주었고, 그는 나의 가정의 어려움을 이해했습니다. 그러던 어느 날, 나는 이 생활들을 더 이상 견딜 수 없었고 나는 떠날 결심을 하였습니다. 나는 남편의 공포로 밤마다 악몽을 꾸는 일들이 잦아졌습니다. 내 가 가진 전 재산은 천이백 달러였고, 옆집 미국 할머니의 도움으로 그녀는 비행기 티켓을 예약해주셨습니다, 나는 모든것을 뒤로 한채 두 아들을 데리고 하와이로 무작정 떠나게 되었습니다.나의 사랑하는 아들들과 나는 막상 하와이에 도착했지만 모든것이 막막했습니다,나는 한인 교회를 찾아갔습니다. 목사님은 우리가 살집을 소개해주었습니다, 그러나 그 집은 바퀴벌레가 가득한 곳이어서 살 수 없었습니다. 결국 다른 집을 찾아야 했고, 그곳 역시 귀신 나올 것 같은 동굴 같았습니다. 다행히 옆집 한국인 아줌마는 우리가 집을 구할 때까지 지낼 곳을 제공해주셨습니다. 이후 나는 다른 한국 아줌마를 만나 아파트를 얻을 수 있었고, 인정 많은 한국인들 덕분에 우리는 많은 도움을 받아 그곳의 생활은 점점 나아지고 있었습니다. 이 새로운 시작은 많은 어려움 속에서도 희망을 발견한 시간이었습니다.

9. 이해와 화해

1. 재회의 기로: 투쟁과 용서 사이

하와이에서의 삶은 늘 도전이었습니다. 어느 날, 한국에서 오빠가 뉴욕의 친구를 통해 이천 달러를 보내주었습니다. 이 큰 돈은 두 아들을 키우는 데 큰 도움이 되었지만, 여전히 살림살이는 쉽지 않았습니다. 큰아들은 학교에 다니지만, 둘째 아이는 베이비시터에게 맡겨야 했습니다. 나는 중국인이 운영하는 수산물 가게에서 일하기 시작했고, 그곳에서 만난 젊은 여성이 둘째 아이를 돌봐줄 수 있게 되어 임시로 일할 수 있었습니다. 비록 영어는 서툴렀지만, 장사 경험이 풍부했기 때문에 사고파는 일은 어려움 없이 할 수 있었습니다.한편, 남편은 나와 아이들을 찾기 위해 노력했고, 심지어 한국까지 찾아갔습니다. 가족 모두가 모른다고 해도 그는 계속해서 괴롭혔습니다. 돈이 필요한 나는 오빠와 연락을 유지했고, 오빠는 나에게 혼자서 두 아들을 키우기 힘들다며, 남편을 용서하라고 조언했습니다. 나는 그의 말에 따라, 나는 남편에게 다시 기회를 주기로 했습니다. 이번에 남편이 크게 반성했다면, 사람이 변했을 거라 믿었습니다. 그러나 내 마음속에는 결심이 있었습니다. 만약 다시 그가 실수한다면, 그때는 아이들도 많이 컸을 테니, 결정적인 조치를 취할 준비가 되어 있었습니다. 이는 나의 삶에서 중대한 결정의 순간이었습니다.

2. 가족의 힘: 화해와 새로운 시작

오빠는 남편과 함께 하와이를 방문하여 나에게 또 한 번 기회를 주라고 조언했습니다. 하와이의 아름다운 풍경과 함께 가족 간의 평화를 다짐하는 시간이었습니다. 그곳에서 우리는 하와이 전통 춤도 배우며, 가족과 함께하는 즐거운 시간을 보냈습니다.그리고 다시 미시간 주의 집으로 돌아와 일상이 시작 되었습니다. 남편은 건강이 좋지 않다며 집에서 쉬었고, 남편은 아이들이 학교에서 돌아오면 그들과 함께 시간을 보냈습니다. 평화로운 시간이 이어지는 듯했습니다.그러던 중, 한국에서 막내 오빠가 이민을 왔습니다. 남편은 막내오빠와 첫 저녁식사 자리에서 무언가 마음에 들지 않는 듯, 오빠가 한국에서 가져온 도자기 그릇을 분노하며 그것을 깨트렸습니다. 이 일로 계기로 서로 함께 살수 없다는것을 깨닫고 오빠 내외는 뉴욕으로 이사를 결정했습니다. 서운한 감정이 들었지만, 언니는 한복을 만드는 뛰어난 기술을 가지고 있어 뉴욕에서 잘 적을할수 있었고, 오빠 또한 자동차

정비 기술자로 취업에 성공하여 안정적인 생활을 시작했습니다. 이러한 변화들이 모두 우리 가족에게 새로운 기회를 제공하며, 각자의 길에서 행복을 찾아가는 계기가 되었습니다.

3. 가족과의 시험: 이기적인 순간들 너머로

우리 가족은 새로운 시작을 맞이했지만, 고난의 시기도 함께 도래했습니다. 큰집 식구들이 이민 온 후, 그들이 처음 맞이하는 미국의 크리스마스를 나는 함께 보내고 싶은 마음에 호텔 디너쇼 티켓을 구매했습니다. 그러나 남편은 그 디너쇼를 가지 않고 차를 고쳐야 한다고 하루종일 그는 자동차 부품을 사러 다녔고 우리는 그 파티에 가보지 못하고 최악의 크리스마스를 맞이 하게 되었습니다.어느 날은 골프를 치러 간 남편과 큰형은 가게 문 닫을 시간이 한참 지났음에도 불구하고 그들은 돌아오지 않았고 나는 그들의 이기적인 태도에 실망이 커져만 갔습니다. 또한 마땅한 주택을 구할 때 까지 함께 생활중이었던 큰집 식구들은 서로 도와주는 법을 전혀 모르는 듯 했습니다.나는 그들의 이기적인 생활에 지쳐 나는 결국 생활비를 요구했고 거의 1년 동안 함께 살면서 불거진 감정의 골이 깊어져가고 있었습니다. 그 무렵은 그들은 급하게 아파트를 찾으러 다녔고 이사를 가게 되었습니다. 이 사건은 우리 가족에게 많은 생각을 하게 만든 계기가 되었으며, 때로는 서로 간의 이해와 도움이 얼마나 중요한지를 깨닫는 뼈아픈 경험이었습니다.

4. 폭풍의 그늘: 가정 내 갈등과 회복을 향한 용기

우리 집은 갑자기 전쟁터 같은 분위기가 되어버렸습니다. 어느 날 남편이 갑작스럽게 모든 재산을 자신의 이름으로 변경하라고 요구하면서 강하게 화를 냈습니다. 평소에는 결코 이러한 욕심을 보이지 않던 남편이 갑자기 변한 이유에 대해 깊이 고민하게 되었습니다. 나중에 알게 된 사실은, 남편이 큰 형의 조언을 잘못 받아들인 것이 원인이었습니다. 형은 한국의 법률을 미국 상황에 그대로 적용하려 한 것으로, 미국의 이혼법을 제대로 이해하지 못했던 것 같습니다. 이 오해로 인해 불필요한 갈등이 심화되었습니다.갈등은 점점 격화되었고, 각각의 다툼이 끝날 때마다 남편은 점점 더 폭력적으로 변했습니다. 머리카락을 끌어당기고, 겁을 주며, 때로는 주먹질까지 서슴지 않았습니다. 어느 날, 극심한 공포 속에서 소리치다가 나는 기절하곤 하였습니다. 나는 눈을 떠보면 소파에 누워 있었습니다. 어느 순간부터, 나는 더 이상 두려움에 굴복하지 않기로 결심했습니다. 나 자신을 위해서, 또 우리 아이들을 위해서 더욱 강해져야 했습니다. 아이들을 보호하며, 이 어려운 시간을 견뎌내야만 했습니다. 내 마음속 깊은 곳에서 용기를 불러일으키며 중얼거렸습니다: "화를 내는 남편을 볼 때마다, 나는 우리 아이들을 지켜야 해."이 글은 가정 내 폭력을 겪으면서도 결국 용기를 찾아낸 이야기입니다. 어려운 상황 속에서도 희망을 잃지 않고, 위기를 극복하는 모든 이들에게 힘이 되길 바랍니다.

5. 겨울의 도망자: 생존과 희망의 이야기

저의 삶은 끊임없는 달리기였습니다. 어느 추운 겨울 날, 남편과의 또 다른 싸움이 시작되자, 저는 맨발로 집을 뛰쳐나왔습니다. 신발을 신을 시간조차 없이, 차가운 겨울 바닥을 맨발로 달렸습니다. 추위에 덜덜 떨며 건너편 집의 벽에 몸을 붙였습니다. 긴 시간이 흐른 후에야 남편이 문을 열어주었습니다. 그 춥디 추웠던 그 겨울 이후, 나는 발에 동상이 들어 지금도 겨울이면 나의 발은 붉게 물들고 아픔을 느끼게 되었습니다.이러한 싸움과 도망은 반복되었습니다. 남편은 항상 저를 잡으려 했고, 나는 늘 도망만 생각했습니다.그러나 우리 큰아이는 어려움 속에서도 착하게 자라 명문대 공과 대학에 합격하는 큰 성과를 이루었습니다. 나는 그 어려운 생활을 견뎌낸 것이 결국은 큰 보람이 되었습니다. 이 모든 시련을 통해 나는 단지 생존만이 아니라 희망을 키웠다는 것을 깨달았습니다. 이 글은 제가 겪은 고난과 도전을 통해 얻은 강인함과 희망의 메시지를 독자에게 전달하고자 합니다.

6. 파도를 넘는 집안: 가족의 견디기와 성장

아버지의 성격이 걱정스러웠지만, 두 아들은 착하고 성실하게 자라 감사한 마음뿐입니다. 특히 어느 날, 아버지가 오래된 차를 버리지 않는 것에 대해 아들들은 이해하지 못하고 그 차유리를 망치로 박살 냈던 일이 있었습니다. 이 사건의 계기로 결국 모터홈만을 제외하고 모든 차량은 고물상으로 보내졌습니다. 큰아들은 대학에 진학했고, 둘째 아들은 사립 고등학교를 보냈습니다. 둘째 아들은 장학금을 받아 기숙사에서 공부할 수 있는 특권을 얻었고, 주말에는 집에 돌아와 가족과 시간을 보냈습니다. 둘째 아들이 선택한 학교는 Harbor School 였습니다. 그 학교는 수재들이 모이는 곳으로, 그곳에서 그는 뛰어난 성적으로 학교 생활하였습니다. 아이들이 너무나도 착하게 자라난 것에 대해 늘 감사한 마음을 갖고 살고 있습니다.

7. 분기점: 가족과 사업 사이의 줄타기

내 삶의 전환점은 두 아들이 독립한 후에 찾아왔습니다. 그 시기에는 오직 생계 유지에만 집중해야 한다는 부담감이 컸습니다. 그리고 나는 새로운 장소에서 가게를 새로 시작할 필요가 있었습니다. 우리 가게 옆에 크게 사업을 확장하는 한국인 업체를 보며, 나도 변화를 결심하게 되었습니다. 중간 지점에 새로운 가게를 열기로 결정했습니다.가게 두 개를 운영하게 되면서 남편에게 하나의 가게를 맡겼습니다. 그러나 남편은 종업원과 문제를 일으켰고 어느날 나는 Lincoln Park Shopping Center에 있는 그의 가게를 방문했을 때, 그는 종업원과 음악을 크게 틀어놓고 술을 마시며 즐기고 있었습니다. 사랑에 빠져 장사는 내팽개친 것 같았습니다. 그 여자 종업원은 나에게 직접 찾아 와서 전후 사정을 털어놓았고, 그녀의 고백 끝에 남편과의 부적절한 행동을 이야기 하고 그녀는 더 이상 일하러 오지 않았습니다.이 사건은 나에게 큰 교훈을 주었고, 가정과 사업 사이에서 균형을 맞추려는 나의 노력을 더욱 강화시켰습니다. 내 삶의 분기점에서, 나는 가족과 사업 모두에 충실하려고 애썼습니다.

8. 진실의 순간: 꿈과 현실 사이

이 이야기는 남편이 유학생 여직원에게 새 차를 사주었을 때부터 시작됩니다. 이 사실을 모른 채로, 나는 어느 날 꿈속에서 나의 엄마가 나타나 이상한 상황을 지적하는 것을 목격했습니다. 꿈에서 엄마는 유학생을 차에서 밀어내며 그녀를 심하게 꾸짖고 있었습니다. 그 꿈을 꾸고 몇칠 후 유학생은 자신과 남편 사이의 부적절한 관계를 고백했습니다. 이 충격적인 고백 이후, 저와 남편은 격렬하게 다투었고, 그 과정에서 유학생은 일을 그만두었습니다.다툼은 점점 격해져, 저는 분노에 휩싸여 남편의 팔뚝을 깊게 물었고, 그는 제 손목을 물어뜯었습니다. 화가 풀리지 않은 남편은 주변을 둘러보다가 소화기를 집어 제게 소화기 분말가루를 뿌렸습니다. 흰 가루가 제 얼굴과 온몸을 덮었습니다. 이 사건은 저에게 깊은 상처를 남겼지만, 동시에 제 인생에서 중대한 전환점이 되었습니다. 이 사건을 통해 저는 내 삶에서 무엇이 중요한지, 어떻게 나아가야 할지에 대한 귀중한 교훈을 얻었습니다.

10. 흔들리는 삶의 무게

1. 흔들리는 기억, 격정의 순간들

어느 날, 남편은 골프채로 나의 무릎을 때리며 위협했고, 그 순간 저는 격한 분노를 느꼈습니다. 더 심할때는 운전 중에 남편이 화를 내며 욕을 하고 저에게 폭력을 휘두르려 하곤 했습니다. 이에 저는 급브레이크를 밟고 차를 급정거시켜 위기를 모면하기도 했습니다.불안정하고 예측 불가능한 상황 속에서 생존을 위해 강인함을 발휘하며, 어려운 결정들을 내려야 했습니다. 각 순간은 저에게 새로운 교훈을 주었으며, 저 자신과 제 주변 사람들에 대한 이해를 깊게 하였습니다.

2. 어머니의 감시 아래: 위험한 순간들과 감사의 기도

저의 일상은 때때로 위험에 처했었습니다. 어느 날, 나는 차를 주차 후 건물에 들어서는 순간, 다른 차에서 갑자기 큰 폭발과 함께 불길이 치솟았습니다. 그 차는 남편과 부적절한 관계를 가졌던 유학생이 사용하던 것으로, 만약 그녀가 차 안에 있었다면 대형 참사로 이어질 뻔했습니다. 그 순간 나는 '오늘도 감사합니다' 라는 말이 저절로 나왔습니다.특히 위기의 순간마다, 졸음운전으로 큰 사고를 낼 뻔한 순간들에도 어머니가 나타나 저를 깨워 주셨습니다. 한 번은 인도 쪽으로 차가 향하고 있을 때, 깜짝 놀라 눈을 뜨고 방향을 바로잡았던적도 있었습니다. 또 다른 때는, 대형 트럭과의 충돌을 간신히 피할 수 있었습니다. 나는 이 모든 순간에서 어머니의 보호가 있었다고 믿습니다.이러한 위기를 넘긴 후, 저는 아들 친구의 엄마와 함께 한국으로 여행을 떠나 제주도를 방문하며 즐거운 시간을 보냈습니다. 이 모든 경험을 통해 저는 끊임없이 위험에서 벗어날 수 있었던 것에 대해 깊은 감사의 마음을 갖게 되었고, 가족과 함께하는 평화로운 시간의 소중함을 다시 한번 깨닫게 되었습니다.

3. 새로운 시작의 위기와 기회

LinColnpark Shopping Center에서 갑작스러운 가게세 인상 통보를 받았을 때, 우리는 재정적 어려움으로 인해 임대료를 전액 낼 수 없었습니다. 대화를 시도했지만, 거절당하고 결국 법적 소송으로 이어졌습니다. 변호사는 우리가 쫓겨나지는 않을 것이라고 안심시켰지만, 그것은 확신할 수 없는 일이었습니다. 결국, 법원 명령에 따라 우리의 상품들은 긴급히 뒷마당으로 옮겨졌고, 우리는 다급하게 물건을 Dearborn 가게 지하실로 옮겼습니다.이 모든 과정 속에서 우리는 Farline mall

에 새로운 임시 계약을 맺고 가게를 다시 열었습니다. 이후, Detroit에서 수리 중이던 건물에 다시 가게를 열기로 결정하며, 작은 규모의 아웃렛을 운영하기 시작했습니다. 초기에는 인건비조차 충당하기 어려웠지만, 불난 차의 보험금으로 인근의 손상된 건물을 저렴하게 매입해 장기적인 소득원으로 삼을 계획을 세웠습니다. 이러한 연속된 도전과 기회 속에서 우리는 위기를 기회로 바꾸며 새로운 시작을 준비하고 있습니다.

4. 밤의 건물과 위기의 순간

일이 마무리된 후, Detroit에서 건물 수리를 계획했습니다. 우리 가족, 특히 방학 중인 작은아들과 지역의 흑인 남성들이 함께 일을 도와주었습니다. 하지만, 위험한 동네의 밤은 항상 긴장감을 동반했고, 남편은 매일 밤 공구와 차량을 지키며 외부의 위협에 대비했습니다.어느 밤, 젊은 남자 아이들 일당이 남편에게 시비를 걸어 왔고 상황은 급반전되었습니다. 남편은 자신을 방어하려다 실수로 총을 발사했고, 그 결과 한 청년이 다치고 말았습니다. 이 사건으로 인해 경찰이 출동하고, 남편은 체포되어 법정에 서게 되었습니다. 법적 문제는 대부분 해결되었지만, 총사용 면허의 부재로 인해 남편은 가벼운 처벌을 받았습니다. 그러나 남편은 이 결과를 받아들일 수 없었고, 자신의 무죄를 주장하며 심지어 판사에게 항의 편지를 보내는 등의 행동을 하였습니다. 이로 인해 우리 가족은 법적인 문제와 남편의 고집 사이에서 깊은 갈등과 스트레스를 겪게 되었습니다.

5. 어긋난 선택: 법과 가족 사이

그는 법원에서도 자신의 잘못을 인정하지 않고 고집을 부렸습니다. 나는 법정에 찾아가 남편의 잘못을 시인하며 용서를 구했지만, 판사는 남편의 정신 상태를 이상하다고 판단하여 그를 정신 병원으로 보냈습니다. 이러한 결정에도 불구하고, 남편은 여전히 자신이 옳다고 주장하며 음식과 물조차 거부하는 등의 극단적인 행동을 보였습니다. 그 결과, 그는 더 나은 치료를 위해 다른 시설로 이송되었습니다.이 모든 과정에서 우리 가족, 특히 작은 아들은 아버지의 법적 문제로 인해 학교까지 휴학하며 아버지의 문제를 걱정해야 했습니다. 가족은 언제나 서로를 도와주어야 한다는 것을 실감했으나, 남편의 이기적인 행동은 가족 모두에게 큰 시련을 안겨주었습니다.

6. 강한 의지의 그림자

내 남편은 자신의 주장이 매우 강하고 때로는 그것이 판사와의 대립으로 이어졌습니다. 정신병원으로 옮겨진 후에도 그는 병원의 지시를 따르지 않았고, 그 결과 또 다른 심사를 요청해야 했습니다. 법원은 그의 사정을 일부 수용하여 개인 의사에 의한 추가 진단을 허용했지만, 결과는 그의 상황을 개선시키지 못했습니다. 병원에서도 나가고 싶다면 병원의 규칙을 따라야 한다고 했지만, 남편은 이를 거부했고, 결국 탈출을 시도하여 더욱 엄격한 시설로 이송되었습니다.그가 보낸 Anna Arbor의 시설에서는 정신병자와 범죄자들이 함께 수용되어 있었고, 담당 의사는 남편이 정신병자로 보이지 않는다고 말했습니다. 이러한 상황은 남편의 복잡한 내면과 갈등을 드러내며, 가족으로서 그의 변화를 바라만 볼 수밖에 없는 절망적인 상황이었습니다.

7. 가게 문 너머의 싸움

아들들이 UofM에 다니던 시절, 의사는 남편이 판사와 싸울 방법을 알려주었으나 우리는 손을 쓰지 않았습니다. 다행히 남편은 곧 집으로 돌아왔지만, 가정에 평화가 찾아오자마자 가게 매상은 저조해졌고, 높은 임대료를 감당할 수 없어 다시 가게를 옮겨야 했습니다. NorthLand mall에서의 새로운 시작은 흙인 커뮤니티와의 관계를 조심해야 했음에도 불구하고, 남편의 무뚝뚝한 성격과 잘 들리지 않는 한쪽 귀 때문에 이웃 가게와의 오해가 발생했습니다. 이는 결국 큰 싸움으로 이어졌습니다. 이 사건은 가게 운영과 가족 생활에 중대한 영향을 미치며, 지역 사회와의 관계가 얼마나 중요한지를 깨닫게 해주었습니다.

8. 결별의 순간: 싸움과 법정에서의 나날들

우리가 NorthLand mall에서 시작한 사업은 금방 이웃과의 충돌로 얼룩졌습니다. 한 번은 남편의 성급한 성격이 큰 문제를 일으켰고, 그는 나에게 화를 내는것을 본 주변 사람들이 오해를 하여 경찰까지 부르게 되었습니다. 이 사건은 mall 내에서 크게 번지면서, 경비원이 경찰에 신고하게 되었고, 우리는 결국 법정에 서게 되었습니다. 남편은 자신의 주장을 고수하며 법정에서도 싸움을 벌였습니다. 이로 인해 변호사를 다시 고용해야 했고, 과거의 기록 때문에 도움을 받기 어려워졌습니다. 결국 이런 사건들이 반복되며, 우리는 큰 빚을 지게 되었습니다. 두려움과 걱정 속에서 더 이상 이곳에서의 생활이 위험하다고 판단하고, 더 이상의 사고를 피하기 위해 가게 문을 닫기로 결정했습니다. 이러한 경험은 많은 교훈을 남겼지만, 가장 큰 교훈은 때로는 물러서는 것이 더 큰 용기가 필요하다는 것이었습니다.

BYE!

11. 헌신과 이별의 순간

1. 투쟁과 포기 사이: 소상공인의 시련

우리 가게는 처음에는 손님들이 줄을 서서 물건을 사 갔지만, 시간이 지나면서 상황이 달라졌습니다. 리모델링에 많은 시간과 노력을 들였음에도 불구하고, 법적 문제와 빚으로 인해 그 가게는 큰 손해를 보게 되었습니다. 매출은 점점 떨어지고 온라인 쇼핑몰의 증가로 인해 고객들은 더 이상 우리 가게에서 직접 구매하지 않고 인터넷으로 물건을 구매하게 되었습니다. 결국, 미납된 임대료와 지속적인 매출 감소로 인해 가게를 포기할 수밖에 없었습니다. 나는 필사적인 상황에서 도박장을 방문해 금전적인 해결책을 찾으려 했지만,

그것은 절망적인 시도였습니다. 이 모든 경험을 통해, 세상에서 가장 힘든 일 중 하나가 자신이 키워온 사업을 포기하는 것임을 깨달았습니다. 이 이야기는 우리의 노력, 실수, 그리고 때때로 필연적인 패배를 통해 얻은 교훈에 대한 반성의 기록입니다.

2. 파국으로 가는 길: 운명을 거스르며

나의 생활은 계속해서 남편과의 끊임없는 갈등으로 얼룩져 있었습니다. 특히 어느 날, 운전 중에 남편이 나를 때리자, 나는 참을 수 없는 분노에 휩싸여 차를 나무에 박아버렸습니다. 이런 내면의 분노는 내가 얼마나 극단적인 상황에 처해 있는지를 나타냅니다. 남편은 은행 계좌를 자신의 이름만으로 변경하며 나를 금전적으로 완전히 배제시켜, 돈을 찾을 수조차 없게 만들었습니다. 이러한 상황에서 현금 유동성이 막히자, 나는 절박한 상황에서 해결책을 모색해야 했습니다.급기야 도박장에 가서 어떻게든 상황을 타개하려고 했으나, 도박으로는 문제를 해결할 수 없었습니다. 도박에서 이기는 날도 있었지만, 그것은 일시적인 해결책에 불과했습니다. 나는 남편 몰래 그의 지갑에서 돈을 꺼내 도박에 사용했지만, 나는 이것이 더 큰 문제를 야기할 수 있음을 누구보다 잘 알고 있었습니다. 이러한 내 행동들은 절망적인 상황에서 내가 얼마나 극단적인 선택을 고려하고 있었는지를 보여줍니다.

3. 법정에서의 우여곡절: 부부 간의 경계를 넘나들다

우리의 일상은 때때로 도박과 같은 불확실성으로 가득 차 있었습니다. 어느 날, 남편은 나를 MGM 도박장에서 찾아와 공개적으로 모욕을 줬습니다. 그는 나를 감옥에 보내려 했고, 나에게 도박장 직원들 앞에서 망신을 줬습니다. 그러나 경찰은 부부 간의 재산은 공동 소유라며, 내가 남편의 카드를 사용한 것은 법적으로 문제가 없다고 설명했습니다. 남편은 이를 이해하지 못하고 나를 경찰서까지 데려가 소리를 질렀지만, 경찰은 그의 요구를 거절했습니다.그 날의 경험은 나에게 극도의 스트레스와 모욕을 주었지만, 경찰서 앞에서 남편이 나를 밀치려 했을 때, 나는 더 이상의 문제를 원치 않아 경찰에게 아무 일도 없었다고 말했습니다. 이 사건은 부부 간의 갈등이 어떻게 공적인 영역까지 침범할 수 있는지를 보여주었습니다..

4. 장사의 종말: 33년의 추억과 작별

그 긴 세월 동안 우리 가족은 수많은 도전과 변화를 맞이했습니다. 결국 임대료를 감당하지 못해 가게에서 쫓겨나는 상황까지 이르렀습니다. 이 모든 과정에서 둘째 아들은 Indiana에서 3시간이 넘는 거리를 운전해와 가게 이사를 도와주었습니다. 그의 노력과 희생 덕분에 우리는 법원의 강제 퇴거를 피할 수 있었습니다.내 인생에서 이것이 마지막 장사일 것이라고 결심했습니다. "돈을 못 벌었다면 이것이 운명이다"라는 아들의 말은 나에게 큰 위로가 되었습니다. 마지막 날, 우리는 정들었던 가게를 떠나면서 단골 손님들과 작별 인사를 제대로 할 시간조차 갖지 못한 것이 아쉬웠습니다. 33년 동안 한 장소에서 긴 시간을 보낸 후, 그곳을 떠나는 것은 서운하지만 어느 정도는 시원한 해방감도 느껴졌습니다.

5. 귀의 회복: 의사의 실수와 가족의 헌신

나는 물이 자주 귀에 들어가는 문제로 고통받는 남편의 상황을 개선하기 위해 한국의사의 조언을 받아 수술을 결정했습니다. 수술은 오하이오주 리마의 병원에서 이루어졌지만, 수술 후 며칠 만에 남편은 귀에서 나는 이상한 냄새를 호소하기 시작했습니다. 의사는 절대로 귀를 만지지 말라고 했으나, 문제는 계속되었고, 결국 다시 병원을 방문했습니다.진단 결과, 귀구멍을 오래 막아둔 탓에 귀 내부가 썩어가고 있었습니다. 이는 의사의 경험이 부족에서 기인한 것으로, 다수의 소독과 실패한 고막 재건술로 인해 상황은 더욱 악화되었습니다. 이후로는 귀를 지속적으로 소독하는 일상이 이어졌고, 소독할 때마다 피가 나고 살이 벗겨지는 고통을 겪게 되었습니다.이런 과정 속에서 남편은 계속해서 귀를 건드렸고, 이는 상황을 더욱 악화시켰습니다. 나는 밤을 세워 그를 도와주고, 낮에는 일을 하는 피곤한 일상 속에서도 남편의 회복을 돕기 위해 최선을 다했습니다. 결국, 여러 번의 시도 끝에 귀를 그대로 두니 상태가 호전되기 시작했습니다. 이 경험은 저희 가족에게 많은 것을 가르쳐 주었으며, 인내와 헌신의 중요성을 일깨워 주었습니다.

6. 어려운 날의 눈물: 가족 내 사랑과 상처의 경계

내 남편은 성질이 급하지만 금방 화가 풀리는 성격의 소유자였습니다. 우리는 오랜 세월을 함께 걸어왔고, 아이들 앞에서는 결코 다투지 않으려 노력했습니다. 아이들이 없을 때만 싸우곤 했지만, 아이들은 너무 잘 자라서 항상 감사한 마음이었습니다.그러던 어느 날, 나는 몸살로 인해 견딜 수 없는 통증과 함께 몸을 이끌지 못했습니다. 설사와 식욕 부진으로 인해 겨우 죽을 끓여 먹고 잠시 누웠습니다. 그날 밤, 열이 나고 추워서 잠을 이루지 못했습니다.

그런 나를 보고도 남편은 제대로된 돌봄을 제공하지 않았습니다. 그날, 배가 고팠던 남편은 짜장면을 만들어왔고, 그는 내게 갑자기 뜨거운 냄비를 내밀었습니다.깜짝 놀라 남편을 바라보았을 때, 그의 무감정한 표정에서 어떠한 정서도 읽을 수 없었습니다. 이미 몸이 상한 상태에서, 이러한 사랑의 부재가 더욱 큰 상처로 다가왔습니다. 내면에서 울분이 치밀어 오르며, 그 순간 모든 감정이 폭발했습니다.

7. 서로의 그늘: 변하지 않는 성격 속에서

오랜 세월이 흐르면서 남편과 나 사이에도 많은 변화가 있었지만, 변하지 않는 것들도 있습니다. 남편의 성질은 여전히 그대로였고, 우리 사이의 갈등도 종종 반복되곤 했습니다. 남편은 여전히 손짓 발짓으로 소리를 지르며 나와 싸웠고, 나도 모르게 나도 그와 같은 방식으로 반응하게 되었습니다. 이렇게 서로가 서로에게 상처를 주고받는 일이 지속되었습니다.어느 날, 내가 남편에게 큰 소리로 맞서며 싸웠던 일이 있습니다. '왜 이렇게 행동하느냐'고 질책했을 때, 남편의 눈가에는 주름이 더 깊어져 있었고, 둘 다 나이가 들어가는 것이 서로에게 불쌍하게 느껴졌습니다. 그 순간, 우리 둘 다 변화가 필요하다는 것을 절실히 느꼈지만, 남편의 성격은 그대로였습니다. '왜 자신을 이렇게 힘들게 하고, 우리의 날들을 불행하게 만드는가'하는 의문이 들었습니다.이 글은 오랜 시간 동안 서로의 그늘 속에서 변하지 않는 성격과 그로 인해 반복되는 갈등을 다루고 있습니다.

8. 가족의 결정: 사랑과 이해의 경계에서

어느 날, 저희 둘째 아들이 자신이 사랑하는 여성과 결혼하겠다고 선언했습니다. 이 여성은 이미 한 번의 결혼 경험이 있으며, 팔레스타인 출신의 무슬림이었습니다. 저희 아들은 그녀를 진심으로 사랑한다고 말했습니다. 하지만, 이 결합은 부모에게는 도저히 받아들일 수 없는 것이었습니다. 우리는 아들이 너무 젊고, 그녀와는 서로 맞지 않다고 생각했습니다. 우리는 그 결혼을 단호하게 반대했습니다.그럼에도 불구하고, 아들은 우리의 반대를 무릅쓰고 그녀와 결혼식을 올렸습니다. 이 사실을 받아들이기까지 저희 부부는 많은 고민과 심리적 갈등을 겪었습니다. 아들의 결정이 우리 가족에게 어떤 의미를 가져다줄지, 그리고 아들이 앞으로 어떻게 자신의 가정을 이끌어갈지 걱정되었습니다. 하지만 결국 부모로서 할 수 있는 것은 그의 선택을 존중하고 지지해주는 것뿐이었습니다.

12. 세대 간 다리 놓기

1. 가족 갈등의 그림자: 사랑, 이혼, 그리고 깊은 반성

세월이 흐르며 우리 아들은 결혼 생활이 성격 차이로 인해 더 이상 유지될 수 없다는 사실을 깨달았습니다. 우리가 경고했음에도 불구하고, 그는 자신의 결정을 고집했습니다. 결국 이혼에 이르렀고, 미국 법에 따라 재산의 절반을 전 배우자에게 넘겨야만 했습니다. 학업과 경력을 쌓으며 그녀의 대학원 등록금까지 부담했던 아들은 이혼 후 재정적으로 큰 손해를 보았습니다.이 모든 일을 겪으면서, 우리 부부는 자신들이 너무 일에만 몰두해 아들과 충분히 시간을 보내지 못했던 것이 아닌가 하는 자책감에 빠졌습니다. 아들이 결혼 상대를 올바르게 선택하지 못한 것도 어쩌면 우리의 책임일지도 모른다는 생각이 들었습니다. 착하고 온순한 성격의 아들이 부모의 조언을 따르지 않았고, 결국 사랑에 눈이 멀어 잘못된 결정을 내렸습니다. 이 모든 경험은 우리에게 가슴 아픈 후회와 함께, 결정의 무게를 다시 한번 절실히 일깨워주었습니다.

2. 시간을 거스른 화합: 범띠 환갑의 기쁨

2010년, 저희 부부는 한국에서 가족들과 함께 환갑잔치를 열었습니다. 행사는 간소했지만, 오랜만에 모인 친척들과 함께할 수 있어 매우 기뻤습니다. 모든 식구가 한복을 차려입고 모인 자리는 정말로 행복했습니다. 이날의 주제는 저희 부부의 범띠 생일이었는데, 두 사람의 생일이 단 여섯 일 차이나는 재미난 인연입니다.백호년, 즉 백호년이 60년마다 돌아온다고 하는데, 이 특별한 날을 기념하기 위해, 큰아들의 도움으로 모든 참석자에게 호랑이 그림이 프린트된 셔츠를 선물했습니다. 우리는 옛 모습을 그리워하며 아름다운 순간들을 함께 나누었습니다. 가족의 의미를 다시 한번 깊게 느낄 수 있는, 잊지 못할 환갑잔치였습니다.

3. 희망의 터널: 고난 뒤에 찾아온 평화의 빛

내 인생은 어려움과 험난한 일들로 가득 찼습니다. 하지만 모든 고난을 견디고 나서 우리 가족에게도 평화와 사랑의 기쁨이 찾아왔습니다. 우리 가족은 과거 즐거운 시간이 많이 부족했었지만, 얼마 전 큰 아들이 말했습니다.

어린시절 엄마가 서툴게 피아노를 치고 동생이 노래를 부를 때가 가장 행복했다고요.이 말을 듣고 나서 가슴이 아렸습니다. 더 좋은 부모가 되어주지 못한 것에 대한 후회가 밀려왔습니다. 그러나 저는 제가 할 수 있는 최선을 다해 살아왔다고 자신 있게 말할 수 있습니다. 수많은 고통 속에서 하루하루를 견뎌냈고, 이제 어둠의 터널을 벗어나 회고해보니, 그 모든 어려움이 그리 큰 것이 아니었다는 생각이 듭니다. 남편이 때로는 천사 같으면서도 왜 때때로 악마 같이 행동했는지, 그 이유를 이해할 수 없었지만, 이제는 그저 평화로운 현재에 감사하며 살고 싶습니다.

4. 새로운 시작: 자유를 향한 결단

저는 일을 그만두고 나서야 비로소 제 자신을 위해 살기로 결심했습니다. 이제는 돈 걱정 없이, 일하지 않아도 삶에 큰 차이가 없다는 것을 깨달았습니다. 남편에 대한 두려움으로 떨던 시절은 이제 과거의 일이 되었습니다. 모든 것을 내려놓으니, 마치 제 자신이 해방된 듯한 기분이 듭니다.이제는 싸움이 일어날 때마다 저부터 큰 소리를 내며, 겉으로는 대단한 악녀처럼 보이려고 합니다. 비록 내면에서는 두렵지만, 겉모습은 당당함을 유지합니다. 큰 소리가 나고 싸울 것 같은 분위기가 감지되면, 저는 미리 완벽하게 준비해 집을 나서는 편입니다. 이렇게 저는 새로운 저를 발견하고, 자유롭게 나만의 길을 걷기 시작했습니다.이 글은 제가 어려운 결정을 내리고 자유를 향해 나아가는 과정을 솔직하게 담았습니다. 나의 경험이 독자들에게 용기와 영감을 줄 수 있다면, 그것이 바로 제가 나누고자 하는 메시지입니다.

5. 자유로운 날들: 내 인생의 새로운 행복

저는 이제 제 삶을 위한 선택을 하고 있습니다. 눈을 뜨면 카지노로 향하는 일상, 어떤 날은 자전거를 타고, 다른 날은 버스를 이용합니다. 미국에서는 버스가 자전거를 실어주기도 해서 편리하게 목적지까지 이동할 수 있습니다. 이렇게 혼자만의 'Happy day'를 만끽하며 살아갑니다. 몇 년 동안 이런 생활을 이어가며, 하루하루가 나를 위한 행복이라고 느낍니다. 남편과의 관계는 여전히 마음에 들지 않지만, 내가 해야 할 일을 하고 다니니까, 문제가 생길 일이 없습니다. 이제는 얼굴을 마주할 일도 없어 자유로움을 만끽하고 있습니다. 이 모든 것이 가능하다는 사실에 감사합니다.

6. 서로의 선의, 문화의 차이

버스를 타고 갔던 어느 날, 한국인 아줌마가 워커를 끌고 버스에 올라탔습니다. 목적지를 기사에게 말하고는 지갑에서 돈을 꺼내 기사에게 건넸지만, 기사는 여러 번 거절했습니다. 아줌마는 그저 고마움의 표시로 팁을 주려 했지만, 기사는 큰 소리로 거부했습니다. 미국에서는 택시와 같은 서비스에는 팁을 주는 것이 일반적이지만, 대중버스에서는 그렇지 않습니다. 이 상황은 문화적 차이로 인한 소통의 어려움을 보여줍니다.이 경험을 통해 우리는 다양한 문화에서 오는 차이를 이해하고 존중하는 법을 배울 수 있습니다.

7. 함께 걸어온 길, 그리고 깊은 이해

수많은 시련과 어려움 속에서도 우리는 함께해 왔습니다. 어느 날은 남편이 화를 참지 못해 나에게 침을 뱉었고, 매일 같은 욕설로 하루를 시작했습니다. 그럼에도 불구하고, 남편의 얼굴을 바라볼 때마다 그의 어려웠던 과거와 고통을 함께한 시간들이 떠오릅니다. 어릴 때부터 그의 곁에서 그의 불행을 나누고 이해하려 애썼습니다. 그로 인해 내 마음도 고통스러웠지만, 하루하루를 견뎌왔습니다. 이 긴 여정을 돌아보며, 때론 불행했다고 느낄지라도, 그래도 이 모든 경험이 나를 여기까지 이끌었습니다. 내 인생의 여정을 되돌아보며, 나는 다시 한번 깊이 느낍니다. 이 모든 고난과 시련이 결국 나를 더 강하게 만들었음을, 그리고 가장 어려울 때 서로를 이해하려는 노력이 우리를 지탱해줬음을 깨닫습니다.

8. 내 마음의 천국: 사랑과 자연 속에서

내 삶의 여정은 사랑 없는 결혼으로 시작해 사랑 없이 두 아들을 낳았지만, 그래도 나는 사랑을 다해 그들을 키웠습니다. 결국 이 길이 내 인생이었나 봅니다. 그럼에도 불구하고, 내가 오늘날 느끼는 행복은 말로 표현할 수 없습니다. 돈이 없어도 내 마음에서 우러나오는 웃음과 나만의 사랑을 느낄 수 있습니다. 나의 집 주변은 아름다운 자연에 둘러싸여 있으며, 오리들과 노루가 자유롭게 뛰노는 모습은 이곳이 바로 천국이라는 것을 실감케 합니다. 매일 맑은 공기를 마시며, 자전거를 타고 자연과 함께 바람을 가르며, 내 가슴은 행복으로 가득 찹니다. 나는 오늘도 '감사합니다'라고 말하며, 비록 육체는 늙었지만, 정신적으로는 젊음을 유지하며, 이 모든 것이 나의 생활이자 나의 천국입니다. 내 마음이 바로 나만의 천국이며, 행복은 항상 내 안에 있음을 느낍니다.

13.사랑과 용서의 여정

1. 가을 길에서 깨달은 사랑의 무게

내 삶의 길목에서 봄의 화창한 꽃과 가을의 낙엽이 주는 즐거움을 이제야 깨닫게 되었습니다. 오랜 세월 아등바등 살아왔지만, 지나고 보니 모든 순간이 소중한 추억으로 남아 있습니다. 아들을 키우며 같이 보낸 시간이 부족했던 것은 후회되지만, 부모의 사랑은 시간을 초월하여 언제나 그 자식을 어린아이처럼 바라보게 만드는 영원함을 가집니다.나는 완벽하지 않은 부모였지만, 열심히 살아왔고, 가족의 사랑을 온전히 느끼며 살았습니다. 늙어가는 나와 대조적으로, 남편은 자연의 아름다움을 느낄 새도 없이 고집 센 성격과 물건을 버리지 못하는 증상에

사로잡혀 점점 더 슬픈 노인이 되어 갑니다. 그의 모든 것을 보존하려는 강박은 어쩌면 외로움의 다른 표현일지도 모릅니다. 이러한 모든 것을 돌이켜보며, 나는 부족했던 지난 날들을 받아들이고, 오늘을 사랑하며 살기로 합니다. 나의 삶에서 발견한 작은 천국, 그리고 늦게나마 깨달은 삶의 아름다움에 감사하며 하루하루를 보내고 있습니다.

2. 노년의 반항: 자유롭게 살아가기로 한 결심

젊은 시절의 활력을 유지하는 척하며 저에게 힘든 일을 떠맡기는 남편. 그는 허리가 아파서 못 한다며 나무 가지를 자르라고 하거나, 지붕 위의 위험한 일을 시킵니다. 저는 떨리는 마음을 안고 높은 곳에서 일을 하곤 했습니다. 집의 페인트칠도 저 혼자서 해야 했습니다. 이제 저는 더 이상 그런 일을 하지 않기로 결심했습니다. 앞으로는 돈을 주고 다른 사람에게 맡길 것입니다. 남편은 그렇게 돈을 쓰는 것을 좋아하지 않지만, 이제는 구경만 할 것입니다.무언가 불만이 있으면, 저는 갬블장으로 향할 것입니다. 그곳이 저의 피난처가 되었습니다. 제 삶은 돈 없이 일만 해왔고, 재정 관리는 항상 남편이 맡아왔습니다. 아들이 말하듯, 저는 '개털' 같은 존재입니다. 일에는 욕심이 많았지만, 돈을 모으는 일은 해내지 못했습니다. 이제는 제 나름의 방식으로 삶을 즐기며, 제가 원하는 대로 결정할 시간입니다.

3. 자전거와 함께한 자유: 분실과 회복 사이

독립기념일에 자전거를 타고 MGM을 향하던 중, 갑작스러운 비로 인해 계획이 변경되었습니다. 자전거를 카지노 주차장에 세워두고 버스로 집으로 돌아갔는데, 다음날 아침 내 자전거가 사라진 것을 발견했습니다. 그 자전거는 아주 오래된 Schwinn이었고, 아들이 사랑을 담아 많은 돈을 들여 고쳐준 것이었습니다. 큰 돈을 들여 기어를 높여서 타기 쉽게 만들었는데, 도둑은 주차장에서 열쇠를 끊고 그것을 가져갔습니다.CCTV가 있음에도 불구하고 도움을 받지 못했습니다. 남편은 제가 왜 밖을 다니는지 이해하지 못했고, 나는 더 이상 그의 잔소리를 듣고 싶지 않았습니다. 그래서 저는 자전거를 타고 나갈 기회만 있으면 나가기로 결심했습니다. 이 소중한 자전거의 상실은 제 외로움과의 싸움, 그리고 자유를 찾는 여정에서 중요한 전환점이 되었습니다.

4. 밤의 그림자: 어둠 속에서 페달을 밟다

어느 밤, 저는 자전거로 조용한 도시를 달리고 있었습니다. 하지만 평화는 오래가지 않았습니다. 어둠 속에서 갑자기 모페드를 탄 아이가 나타났고, 그의 모습이 날치기꾼처럼 보여 순간적인 공포를 느꼈습니다. 저는 필사적으로 페달을 밟으며 도망쳤습니다. 심장은 격렬히 뛰고, 머리는 혼란스러웠습니다. 그날 밤의 무게와 공포는 말로 표현할 수 없었습니다.집까지 걸어가려면 2시간이 넘는 길이었는데, 한적한 인도길을 달리던 중에 웃통을 벗은 거대한 남자가 갑자기 나타나 또 한 번의 공포를 맞이했습니다. 이 경험은 저에게 다시는 밤에 자전거를 타지 않겠다는 굳은 결심을 하게 했습니다.

5. 조용한 고통: 집 안의 불화와 그 너머의 희망

일상의 평온 속에서도, 남편은 갑자기 폭발하는 분노를 보일 때가 있습니다. 그는 크게 소리를 지르고, 공개적으로 욕을 내뱉으며, 때로는 제 얼굴에 침을 뱉기도 합니다. 이런 행동들은 누구의 눈에도 분명히 비정상적으로 보일 것입니다. 저는 그에게 의사 상담을 권했지만, 그는 자신이 정상이라고 주장합니다.어느 날, 그는 갑자기 폭력을 휘두르며 저를 위협했습니다. 이러한 일들이 반복되자, 저는 견딜 수 없어 집을 나설 수밖에 없었습니다. 이 모든 경험은 저에게 깊은 상처를 남겼지만, 이제는 그것이 저를 더 강인하게 만들었다는 것을 알게 되었습니다.

6. 카지노의 위안: 나만의 피난처 찾기

내 삶에서 큰 부분을 차지하는 것은 카지노에서 보내는 시간입니다. 많은 사람들이 그 이유를 이해하지 못하며, 아들은 제가 도박으로 돈을 낭비한다고 생각할지 모릅니다. 하지만 카지노 방문은 처음 돈 문제로 시작되었지만, 이제는 마음의 평화를 찾기 위한 수단으로 변화하였습니다. 카지노는 갈 곳이 없는 사람들이 모이는 곳이며, 저에게는 안식을 주는 곳입니다. 돈을 잃더라도 그 자체가 중요한 것은 아닙니다. 이곳에 오는 대부분의 사람들은 경제적으로 여유가 있으며, 저 또한 그들과 어울려 즐길 권리가 있니다.평생을 남을 위해 살아온 저에게 이곳은 휴식처이자 사회적 교류의 장입니다. 친구를 만나고, 이야기를 나누며 시간을 보내는 것은 저에게 큰 즐거움을 줍니다. 노년에 접어들었다고 해서 할 일이 없다고 생각하지 않습니다. 할 수 있는 한, 제가 원하는 것을 하며 살고 싶습니다.

7. 인생이라는 여정: 도전과 감사를 통한 성찰

저의 삶은 도전의 연속이었으며, 이제 저는 매일을 감사하며 살기로 했습니다. 많은 돈이 있다고 해서 더 행복한 것은 아니라는 것을, 저는 시간을 통해 배웠습니다. 가장 중요한 것은 자신이 얼마나 행복을 느끼느냐입니다. 나이가 들어가면서, 내 삶은 때로는 서글프지만, 이것이 바로 인생의 본질임을 이해하게 되었습니다. 사람은 태어난 본성을 쉽게 버리지 못한다는 것을 깨달았고, 저는 내 자식들을 위해 어려움을 감내하며 살아왔습니다. 내 인생이 결과 없이 끝난다 해도, 나는 그것을 후회하지 않습니다. 저는 항상 진실되고 사랑을 베풀며 살아왔다고 자부합니다. 나의의 두 아들은 각자의 길을 건강하고 훌륭하게 걷고 있으며, 이것이 저에게 큰 감사의 이유입니다. 젊은 시절 미국으로 이민 와서 꿈을 이루지 못했을지라도 지금 건강하게 살고 있는것만으로도 충분히 감사할 일입니다.

8. 내 삶의 여정: 감사와 용서

오늘의 이 순간이 있어 너무 감사합니다. 언니의 아흔 번째 생일 잔치로 한국을 방문한 것이 자서전을 만드는 계기가 되었습니다. 이렇게 오랜 이민 생활 속에서 살아온 이야기를 사람들에게 알리고 싶었습니다. 오랜 세월, 50년 동안의 이민 생활이 끝나고 나니, 그 끝은 생각보다 불행하지 않습니다. 이제 저는 평화로운 삶을 즐길 준비가 되었습니다. 세상에는 작은 것 하나하나가 소중하다는 것을 알게 되었고, 행복은 아주 가까운 곳에서 찾아야 한다는 것을 깨달았습니다. 이제 모든 것을 내려놓고, 분노와 미움을 '감사와 용서'라는 두 단어로 마무리하고 싶습니다.

그늘 아래 피는 꽃

지은이 유병숙
발 행 2024년 06월 10일
펴낸이 한건희
펴낸곳 주식회사 부크크
출판등록 2014.07.15.(제2014-16호)
주 소 서울 금천구 가산디지털1로 119, SK트윈타워 A동 305호
전 화 1670 - 8316
이메일 info@bookk.co.kr

ISBN 979-11-410-8868-2
www.bookk.co.kr